TANTO PER PARLARE
LIBRO DELLO STUDENTE

Giosi Vicentini

Nicoletta Zanardi

TANTO
PER PARLARE

materiale per la conversazione

(livello medio-avanzato)

Libro dello studente

3ª edizione

Bonacci editore

Fotografie: M. Bottoni: 71; L'Espresso, 16/6/1985: 105; 2/2/1986: 118; Corriere della sera, 7/1/1986: 133.

Illustrazioni: Selezione del Reader's Digest, maggio 1983: 21; Grazia, Mondadori, 10/3/1983: 32; C. Berridge, The Peter Pipers at the Wild-life Park, London, 1984: 47; Corriere della sera, 22/1/1984: 62; G. Ramsey, Play your part, Longman, 1980 (adattato): 66; Modelli Valentino per Valentino Studio Tessuti: 145; G. Novello, Domenica del Corriere, 31/8/1985: 146; Panorama/Dossier, 13/10/1985: 147-148; Mr Bell's Fixit Shop, Golden Press, New York, 1984: 149; Istruzioni Fotocopiatrice Xerox: 150; P. Jackson, Tricks and Games with Paper, Angus & Robertson, 1985: 152.

Pubblicità: Il Messaggero, 9/2/1986: 17; Opuscolo illustrativo Utat, Viaggi in Italia 1986: 26; Grazia, Mondadori, 5/7/1985: 59; Progresso, Europeo, 5/7/1986: 135; L'Espresso, 23/3/1986: 143; Panorama, 13/4/1986: 144.

Bonacci editore
Via Paolo Mercuri, 23 - 00193 Roma
(ITALIA)
Tel. 06/68300004 - Telefax 06/6540382

© Bonacci editore, Roma 1987
ISBN 88-7573-186-1

INDICE

INTRODUZIONE

Tanto per parlare raccoglie materiale messo insieme e creato per gli studenti di conversazione del terzo anno di italiano presso l'università di Sydney. Studenti adulti, cioé, di livello medio avanzato in possesso di una discreta conoscenza delle strutture della lingua e abituati a essere esposti a testi autentici di varia natura.

La scelta del materiale ha avuto come principale motivazione quella di ridurre al massimo la voce dell'insegnante e di rendere lo studente artefice attivo nello sviluppo della propria abilità di produzione orale, privilegiando su ogni altro aspetto l'effettivo passaggio della comunicazione da chi la fa a chi la riceve, la scorrevolezza del messaggio e la capacità di esprimersi in contesti situazionali diversi che richiedono comportamenti linguistici diversi.

A questo scopo il materiale è stato suddiviso in diverse sezioni a seconda dell'obiettivo desiderato.

La prima sezione mira a sviluppare la libera espressione delle opinioni personali su argomenti vari.

La seconda, più finalizzata e complessa, si propone di familiarizzare lo studente con alcune funzioni della lingua di uso frequente e di difficile acquisizione per gli stranieri.

La terza sezione vuole esercitare l'abilità di comprensione orale e quella di fare domande, spesso data per scontata, essendo gli studenti da sempre più allenati a rispondere.

La quarta ha lo scopo, attraverso la tecnica della drammatizzazione o «role-play», di estendere la capacità di comunicare a contesti di situazione diversi da quelli più comunemente connessi con l'ambiente dell'aula, sia scolastica che universitaria.

La quinta mira invece a sviluppare un uso più creativo e inventivo della lingua.

Le ultime due sezioni, infine, fanno da base a tutte le altre, contenendo materiale di informazione e stimoli grafici o visivi di supporto alla maggior parte delle attività contenute nelle sezioni precedenti.

Il materiale è quindi estremamente vario e si presta ad essere usato in maniera molto flessibile a seconda degli interessi e delle motivazioni della classe e dei particolari aspetti di espressione orale che si vogliono attivare durante la lezione. È un materiale 'aperto' che può essere costantemente arricchito, aggiornato o adattato in base alle diverse esigenze che l'insegnante di volta in volta si troverà ad affrontare e non presuppone assolutamente uno sfruttamento lineare dall'inizio alla fine, ma piuttosto un uso a mosaico con tasselli delle diverse sezioni, onde evitare monotonia e ripetitività delle tecniche didattiche usate e rendere la conversazione il più divertente e variata possibile.

Il testo si compone di libro dello studente e libro dell'insegnante. In quest'ultimo, oltre alle istruzioni per l'uso delle varie attività e alle soluzioni dei giochi, sono contenuti dei testi che non appaiono sul libro dello studente, in modo da garantire il divario di informazione o «information gap» che sta alla base di ogni atto comunicativo visto come transazione di significati. Chi parla deve avere qualcosa da comunicare, uno scopo per farlo e motivo di credere che chi ascolta non possiede quella informazione.

Ringraziamo qui gli studenti del dipartimento di italiano dell'Università di Sydney con i quali il materiale è stato sperimentato e grazie alle cui reazioni e commenti è stato migliorato.

Buon lavoro!

Giosi Vicentini e Nicoletta Zanardi

Sydney, giugno 1986

PARLARE DI...

Parlare di... SEZIONE 1

Organizzazione del corso

I. Di che argomento parlare?

1. Lo sport e il tifo sportivo
2. La cucina italiana e una sana alimentazione
3. La famiglia italiana
4. Figli unici o famiglie numerose?
5. Il matrimonio e il divorzio
6. Sistemi scolastici diversi
7. Lavoro e disoccupazione. Il tuo lavoro.
8. Il cinema e il teatro
9. Musica classica e musica leggera
10. Viaggiare. Suggerimenti per un viaggio perfetto. Raccomandazioni a chi va in Italia per la prima volta.
11. Vacanze e tipi di vacanze
12. Ecologia e inquinamento
13. Vivere in campagna o in città. Città piccole o metropoli. Quale è per te una città ideale?
14. La moda
15. Esistono gli extraterrestri?
16. La droga
17. La superstizione e l'ultraterreno. L'oroscopo.
18. Il problema della solitudine. Il problema degli anziani nella società moderna.
19. Le cause della delinquenza minorile
20. Impressioni sugli italiani e sull'Italia
21. Vivere in famiglia, da soli, in collegio o pensionato universitario
22. Perché siete all'Università?
23. Gli esami sono veramente necessari?
24. Assistenza pubblica o privata?
25. Attualità: notizie più rilevanti e notizie meno rilevanti
26. Leggere, perché e che cosa?
27. È giusto che le donne sposate abbiano un'altra occupazione al di fuori della famiglia?
28. È giusto che i giovani facciano il servizio militare?
29. Eutanasia
30. ....

II. Come valutare?

1. Per una valutazione piú oggettiva e documentata, è bene che, dopo ogni lezione di conversazione gli studenti presentino una breve sintesi scritta di quanto è stato detto da ognuno di loro in classe. Cosa ve ne pare?
2. Ad ogni fine trimestre quale forma di valutazione suggerite? (colloquio orale, esame scritto, relazione finale, niente, ecc.)

Scuola

- a quale scuola siete stati voi?
- scuola pubblica o privata?
- scuola confessionale o laica?
- scuola permissiva o autoritaria?
- scuola selettiva o non selettiva?
- valutazione: voto o giudizio?
- scuola mista o solo maschile/femminile?
- uniforme: sì o no?
- curricolo: materie fondamentali e materie complementari
- scuole alternative
- scuola ideale: come dovrebbe essere la scuola in cui vorreste insegnare o mandare i vostri figli?

Lettura preliminare: pagg. 93-98

Gite scolastiche

- Le gite scolatiche sono una perdita di tempo o sono formative?
- Quali gite sono state un successo nella tua esperienza personale?
- Quali sono state un disastro?
- È bene che anche i genitori degli studenti partecipino alle gite?
- Quale sarebbe una gita particolarmente istruttiva o divertente da fare nel tuo paese?
- Cosa fare preventivamente per organizzare bene una gita, con tutte le garanzie di sicurezza?
- Insegni a degli studenti italiani che si interessano di architettura, dove li accompagneresti?
- Sei il preside di un liceo misto. Gli studenti dell'ultimo anno chiedono l'autorizzazione a fare una gita di quattro giorni. Come ti comporti?
- I tuoi studenti vogliono andare in gita in montagna nel mese più freddo dell'anno. Ma tu odi il freddo, la neve, gli sci e i monti. Che argomenti usi per far desistere la classe dall'idea?

LETTURA PRELIMINARE: pag. 99

Droga

- Siete favorevoli o contrari alla liberalizzazione della droga leggera?
- Perché?
- E della droga pesante?
- Come la pensate in merito alla condanna a morte per impiccagione di Brian Chambers e Kevin Barlow, due giovani australiani trovati in possesso di eroina a Penang in Malesia?
- Come vanno puniti gli spacciatori di droga?
- Com'è la situazione nel vostro paese?
- Esistono comunità terapeutiche? Come funzionano? Da chi sono gestite e finanziate?
- Quali motivazioni possono spingere nella spirale della droga?

Lettura preliminare: pagg. 100-106

Famiglia

- Come è composta la tua famiglia?
- Figli unici o famiglie numerose?
- Impressioni sulle famiglie italiane
- Com'è la famiglia italiana negli anni '80?
- È meglio vivere in famiglia o vivere soli?
- La donna e la famiglia
- È giusto che le donne sposate abbiano un'altra occupazione al di fuori della famiglia?

LETTURA PRELIMINARE: pagg. 107-108

Lavoro

- che lavoro fai/hai fatto?

                                                   a) caratteristiche

                                                   b) vantaggi e svantaggi

- che lavoro vorresti fare?
- dove preferiresti lavorare?

                                                 a) in proprio

                                                 b) lavoro dipendente

                                                 c) grande/piccola azienda

                                                 d) altro

- lavoro a tempo pieno o tempo parziale?
- lavoro e figli: sì o no?
- cosa conta di più sul lavoro?

                                                 a) stipendio

                                                 b) possibilità di realizzarsi

                                                 c) condizioni di lavoro

                                                 d) altro

- cosa dovrebbe premiare di più lo stipendio?

                                                 a) merito

                                                 b) fatica

                                                 c) bisogno

                                                 d) altro

- lavoro «nero»: sì o no?
- sussidio di disoccupazione: sì o no?
- lavoro garantito o licenziamento possibile?

LETTURA PRELIMINARE: pagg. 109-115

Cinema

Prendendo spunto dal «Tabellone cinematografico», preparatevi a parlare dei film che, secondo il vostro parere personale, sono da vedere o da rivedere.

Raccontatene la trama e commentateli considerando le varie voci che compaiono nello schema.

I magnifici dieci da rivedere

TITOLO	TRAMA	GENERE	DOVE E QUANDO	CARA
WARGAMES - GIOCHI DI GUERRA di John Badham; con Matthew Broderick, John Wood, Dabney Coleman, Ally Sheedy	Dove andremo a finire continuando ad affidare il nostro destino alle macchine? Ovvero: è possibile che la Terza Guerra mondiale scoppi per un equivoco scaturito da «cervelli» non umani? Wargames riflette l'atroce problematica in chiave di commedia.		USA oggi	incubo tecnolo
E LA NAVE VA di Federico Fellini; con Freddie Jones, Barbara Jefford, Norma West, Pina Bausch	Una «nave dei folli» naviga sui flutti del Mediterraneo allo scoppio della guerra '14-'18. Un Fellini in stato di grazia rispecchia immagini e paure del mondo di oggi fingendo di rievocare il mondo di ieri: il sogno mitteleuropeo di un sognatore impareggiabile.		Mare Mediterraneo 1914	funere magico
FINALMENTE DOMENICA! di François Truffaut; con Fanny Ardant, Jean-Louis Trintignant, Jean-Pierre Kalfon	Versione francese di un giallo americano con Fanny Ardant segretaria innamorata che si batte per il principale Jean-Louis Trintignant sospettato di omicidio. Cinefilia e gusto della vita provinciale, suspense e umorismo in un film «nero-rosa» inconfondibilmente firmato Truffaut.		Francia oggi	nero-ro
DANTON di Andrzej Wajda; con Gérard Depardieu, Wojciech Pszoniak, Patrice Chéreau, Angela Winkler	Due eroi della Rivoluzione francese, Danton e Robespierre. Due attori potenti, Gerard Dépardieu e Wojciech Pszoniak. La Francia della Rivoluzione chiamata in qualche modo a rappresentare la Polonia di Solidarnosc. Lettera dal semi-esilio di un grande regista in forma di dramma storico.		Parigi primavera 1794	pamphl
GANDHI di Richard Attenborough; con Ben Kingsley, Candice Berger, Edward Fox, John Gielgud	Uno dei personaggi chiave del XX secolo, Mohandas H. Gandhi profeta della non violenza, e la sua lotta solitaria contro l'Impero Britannico. Premiato con l'Oscar, Ben Kingsley offre un'interpretazione da non perdere in un film imponente e un po' vecchio stile.		India 1893-1948 con prologo in Sudafrica	celebrati
COLPIRE AL CUORE di Gianni Amelio; con Jean-Louis Trintignant, Fausto Rossi, Laura Morante, Sonia Gessner	Padri e figli nel tragico panorama del terrorismo italiano: Gianni Amelio rovescia i termini del problema e ci fa vedere un padre compromesso con la lotta armata sotto l'occhio severo del figlio adolescente. Uno dei migliori film giovani degli ultimi tempi.		Milano e dintorni oggi	problem
LA SCELTA DI SOPHIE di Alan J. Pakula; con Meryl Streep, Kevin Kline, Peter MacNicol	Sulla falsariga del romanzo di William Styron, la prodigiosa Meryl Streep rivive la storia di un'ebrea sopravvissuta ad Auschwitz pagando un prezzo troppo alto. Ispirandosi al cinema europeo, il regista Alan J. Pakula costruisce un racconto a incastri forte e suggestivo.		Brooklyn 1947, con flash-back in Polonia e ad Auschwitz durante la II Guerra mondiale	melodra
FANNY & ALEXANDER di Ingmar Bergman; con Ewa Froling, Erland Josephson, Jam Malmsjo, Borje Amlstedt	Serata d'addio di Ingmar Bergman con le avventure di due fratellini primonovecento alla scoperta del mondo, delle sue cattiverie, dei suoi misteri, delle sue gioie. Un grande romanzo fra Mann e Strindberg (ma con molto Shakespeare) che attinge a un messaggio assolutorio.		Uppsala (Svezia) Natale 1907- primavera 1909	saga familiar
ZELIG di Woody Allen; con Woody Allen, Mia Farrow, Garrett Brown, Stephanie Farrow	Woody Allen uomo-orchestra nella più inquietante e spassosa metafora del camaleontismo contemporaneo. Per fare un gioco sotto l'albero di Natale: chi fra tutti i nostri trasformisti politici, al governo o all'opposizione, merita di più il Premio Zelig 1983?		USA con una puntata in Europa anni '20-'30	pseudo- mentari
CARMEN STORY di Carlos Saura; con Antonio Gades, Laura Del Sol, Paco de Luc	Bizet a ritmo di flamenco in un film che sposa nuovamente, dopo «Bodas de sangre», il talento coreografico di Antonio Gades con l'occhio cinematografico di Carlos Saura. Seguiamo la nascita di un balletto, da un'invenzione all'altra, immersi nel collettivo della troupe di Gades.		Spagna oggi	passion

Con questo simbolo non ti sbaglierai

*Le scelte e le trame sono di Tullio Kezich,
le altre voci in tabellone di Franco Montini*

Ecco la legenda dei generi cinematografici disegnati da Roberto Micheli

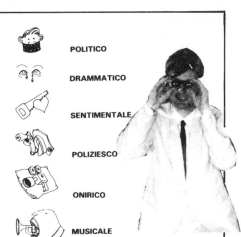

POLITICO

DRAMMATICO

SENTIMENTALE

POLIZIESCO

ONIRICO

MUSICALE

EPICO   COMMEDIA

…ORISMO	SESSO	AMORE	VIOLENZA	COLONNA SONORA	LA SCENA MADRE	LA BATTUTA
ilitare	assente	adolescenziale	tecnologica	emozionante	Il computer Joshua distratto su un gioco enigmistico per evitare lo scoppio della guerra	«Bisogna eliminare l'uomo dal circuito». «Te l'avevo detto di non giocare con quel coso». «Strano gioco l'unica mossa vincente è non giocare»
aturale	distratto	romantico	bellica	melodrammatica lirica	La sfida fra i tenori nella sala macchine della «Gloria C.»	«Io scrivo, ma cos'è che voglio raccontare?... Tutto è già stato detto e fatto» (monologo di Orlando)
ato	intuito	premiato	assassina	briosa	Julien che al rientro a casa scopre il cadavere della moglie	«Faceva l'amore come un ombrello»
te	solo parlato	muliebre	rivoluzionaria	effettistica	La cena-scontro fra Danton e Robespierre	«Boia mostra la mia testa al popolo, ne vale la pena»
itannico	assente	universale	politico-coloniale	trionfante	I seguaci del Mahatma che, senza ribellarsi, si offrono inermi alle percosse dell'esercito inglese	«Le generazioni future stenteranno a credere che un simile uomo abbia potuto camminare sulla terra»
ttuale	intuito	familiare	terroristica	dimessa e allusiva	L'incontro-scontro fra il padre, Dario, e il figlio, Emilio, in un bar di notte	Dario - «Padri perfetti non c'è ne sono più». Emilio - «Figli perfetti ancora meno»
lo	turbinoso passionale	distruttivo	nazista	d'epoca	Sophie, alla stazione di Auschwitz-Birkenau, costretta da un ufficiale nazista a scegliere quale dei due figli salvare	«Scopare è andare dagli dei dell'oscurità»
aturale	gioioso	familiare	dura	nostalgica	La lunga, raffinatissima festa natalizia iniziale. Lo scontro con relativa punizione fra Alexander e Verge Rus	«Tutto può accadere, tutto è possibile, tutto è verosimile»
osistico sistibile	problematico	risolutore	istituzionale	jazzistica	Lo scontro fra Zelig e Papa Pio XI	«La mia casa era molto rumorosa. Abitavamo sopra un bowling. Ogni tanto quelli del bowling venivano a protestare per il chiasso»
te	travolgente	dannato fatale	improvvisa	determinante	Il tradimento di Carmen	«I seni devono essere come le corna di un toro». «Le donne e i gatti arrivano quando non li chiami»

Attualità

- Quali sono i fatti più rilevanti?
- Quali sono i fatti meno rilevanti?

la Repubblica

l'Unità

il Resto del Carlino

CORRIERE DELLA SERA

LA STAMPA

IL GIORNO

il Giornale

LETTURA PRELIMINARE: Fatti e commenti, pagg. 116-128
Cronaca, cronaca, pagg. 129-135

1. PARLARE DI...

CITAZIONI
CITABILI

Qual è la vostra opinione in proposito?

1. Il paradiso è un posto dove i poliziotti sono inglesi, gli ingegneri tedeschi, gli amanti italiani, gli organizzatori svizzeri e i cuochi francesi. L'inferno è un posto dove i poliziotti sono tedeschi, i cuochi inglesi, gli ingegneri francesi, gli organizzatori italiani e gli amanti svizzeri.

(The Bulletin, Australia)

2. Allevare i figli è come tenere in mano una saponetta bagnata: se la stringi troppo schizza via, se la stringi troppo poco scivola di mano. Per tenerla in pugno devi stringerla con delicata fermezza.

(E.H., Selezione)

3. Aggiungi un po' di futilità ai tuoi progetti seri. È bello essere frivoli al momento giusto.

(Orazio)

4. Una vacanza ti offre l'occasione di guardare al passato e al futuro, di rimetterti in sesto grazie a una bussola interna.

(M.S., Selezione)

5. La psicanalisi è una cosa inventata da certi ebrei con la quale si cerca di insegnare agli anglosassoni a vivere come gli italiani.

(C. Musatti)

6. Non ridete per le pose di un giovane: egli prova soltanto una faccia dopo l'altra per trovarne una.

(L.S. Selezione)

7. Il leggere molto ci fa superbi e pedanti, il vedere molto ci rende saggi, ragionevoli e utili.

(G.C. Lichtenberg, Grazia)

8. Donna = 0, uomo = 1. Uomo + donna = 10. Cioé, la donna non può fare nulla senza la collaborazione dell'uomo.

' (E.C., Grazia)

9. La censura rispecchia la mancanza di fiducia che una società ha di se stessa.

(P.S., Selezione)

Voi, ne sapete altre?

PARLARE PER UNO SCOPO

1. PROTESTARE/RECLAMARE

2. SCUSARSI

3. DESCRIVERE

4. DARE ISTRUZIONI

5. RISPONDERE A UN ANNUNCIO

6. DARE CONSIGLI

7. RACCONTARE UNA STORIA

Parlare per uno scopo

Protestare/Reclamare

Lavorare a coppie per 20 minuti circa. Scegliere 3 delle situazioni date e immedesimarsi nella parte il più possibile. Essendo generalmente la parte di chi porge il reclamo più attiva e quella di chi riceve il reclamo più passiva, è bene scambiarsi le parti. A preparazione ultimata, si sostengono le parti davanti a tutta la classe.

Ristorante
- conto sbagliato, la somma non torna.
- scontenti del cibo e del servizio, protestate con il maître, motivando la protesta.

Albergo
- la vostra prenotazione non è stata rispettata e non ci sono camere disponibili. Esigete una spiegazione. Chiedete di parlare con il direttore.
- le lenzuola non sono fresche di bucato e avete qualche dubbio che siano già state usate.
- il rubinetto del lavandino perde e non vi lascia dormire la notte. Avete già reclamato, ma non è ancora stato fatto niente.

Lavasecco
- la roba che avete portato a lavare è tutta stinta e manca una camicia.

Negozio
- l'oggetto che avete comprato si è rivelato difettoso. Riportatelo indietro spiegando cosa c'è che non va.

Vigili urbani
- avete posteggiato in zona di divieto 1 minuto prima della fine del divieto. Andate al comando dei Vigili Urbani per protestare e cercare di farvi annullare la multa.

Questura
- avete fatto richiesta del permesso di soggiorno. Andate a ritirarlo alla data indicatavi e non è pronto. È la seconda volta che questo succede.

Prenotazioni internazionali
- avete fatto una chiamata internazionale che non arriva mai. Chiamate il centralino per reclamare e sollecitare.

Casa
- avete lasciato tutta una serie di incombenze al vostro «partner» da fare in vostra assenza. Tornate e niente è stato fatto.

Amici
- avete prestato la vostra casa ad un amico per una settimana. Quando tornate trovate un certo numero di piccoli danni. Esprimetegli le vostre lamentele in proposito.

Università
- siete scontenti di come vanno le cose in un certo corso. Esprimete le vostre lamentele nella speranza di riuscire a modificare qualcosa.

Treno
- in uno scompartimento per non fumatori un passeggero sta fumando. A voi il fumo dà noia.

Stazione di servizio
- vi hanno appena lavato il parabrezza, ma vi accorgete che non ci vedete troppo bene. Ci sono tracce di unto.

Autonoleggio
- la macchina che avete appena noleggiato dopo un po' comincia a fare un rumore infernale perché ha la marmitta rotta. Telefonate all'Avis perché vi venga cambiata.

Museo	• è la seconda volta che andate a un museo nell'orario indicato sulla guida e lo trovate chiuso. Protestate presso l'azienda di Turismo.
Aeroporto	• scesi dall'aereo, dopo la consueta attesa al nastro trasportatore dei bagagli in arrivo, vi accorgete che i vostri bagagli non ci sono. • siete all'aeroporto di Roma in attesa di prendere l'aereo per l'Australia. Al check-in vi dicono che per errore il vostro posto è stato venduto due volte. Spiacenti, ma l'aereo è pienissimo e non è possibile partire con quel volo.
Agenzia viaggio	• il programma sottostante non è stato rispettato e la vacanza è stata molto inferiore alle aspettative. Protestate presso l'agenzia, lamentandovi di tutte le cose negative del viaggio.

Umbria romantica

Cuore e spirito d'Italia

giorno per giorno

1° giorno   verso PERUGIA

Partenza dalla località prescelta, via autostrada per Bologna, Firenze. Sosta per la seconda colazione in ristorante lungo il percorso. Nel pomeriggio breve visita di Cortona e quindi costeggiando il Lago Trasimeno si arriva a Perugia.
Sistemazione in albergo nelle vicinanze della città, pranzo serale e pernottamento.

2° giorno   PERUGIA - GUBBIO

Prima colazione, pranzo serale e pernottamento in albergo. Nella mattinata visita della città con guida, trasferimento a Gubbio per la visita e la seconda colazione in ristorante, tempo a disposizione prima di rientrare in albergo.

3° giorno   ASSISI - SPOLETO

Prima colazione, partenza per Assisi, visita guidata e seconda colazione in ristorante. Nel pomeriggio escursione a Spello e Spoleto con soste per le visite. Pranzo serale in ristorante, rientro in albergo e pernottamento.

4° giorno   TODI - DERUTA

Prima colazione, trasferimento a Perugia e tempo a disposizione dei partecipanti prima di proseguire l'itinerario verso la Valle del Tevere per Deruta, tipico centro famoso per la produzione di ceramiche, sosta per la visita quindi a Todi. Seconda colazione in ristorante e visita.
Nel pomeriggio arrivo a Orvieto, tempo a disposizione dei partecipanti per un «assaggio» di questa cittadina, sistemazione in albergo e pernottamento, pranzo serale in ristorante.

5° giorno   da ORVIETO

Prima e seconda colazione in albergo. Mattinata dedicata alla visita con guida. Nel primo pomeriggio partenza via autostrada per Firenze, Bologna e la località di provenienza.

2. PARLARE PER UNO SCOPO

Scusarsi

Pensate una buona scusa per aver commesso quanto segue. Il gruppo ascolta, accetta o rifiuta le scuse. Può anche chiedere ulteriori spiegazioni. Alla fine deve decidere se la persona è in colpa o meno.

1. Sei arrivato in classe con mezz'ora di ritardo.
2. Hai perso 50.000 lire che un amico ti aveva chiesto di tenere momentaneamente.
3. Hai preso in prestito la macchina di un amico ieri sera e l'hai danneggiata.
4. Hai dimenticato di giocare la schedina del totocalcio compilata con un gruppo di amici. C'era un 12.
5. Dovevi incontrare la tua ragazza fuori del cinema. Non ti sei fatto vivo.
6. L'insegnante di italiano accetta le interrogazioni programmate. Ieri toccava a te essere interrogato. Sei rimasto a casa.
7. Hai portato il cane di un amico a spasso nel parco. Torni senza.
8. Ti sei presentato con incredibile ritardo a una riunione importante.
9. Ti sei dimenticato di comunicare un importante messaggio telefonico
   a) al tuo compagno di casa.
   b) al tuo datore di lavoro.
10. Non sei andato a una cena di lavoro a cui dovevi andare perché all'ultimo momento un contrattempo te l'ha impedito.

Descrivere

Immaginate di dover descrivere:

1. il contenuto delle vostre valigie che non sono arrivate con voi, a un funzionario dell'aeroporto di Roma.
2. il vostro aspetto e abbigliamento per telefono a qualcuno che non vi conosce e vi deve venire a prendere alla stazione o all'aeroporto.
3. il contenuto della vostra borsa rubatavi sul vaporetto a Venezia, a un impiegato della Questura.
4. a un amico che vive nei paraggi di dove avete fatto una passeggiata, durante la quale avete perso il portafoglio, tutto ciò che avete fatto perché possa ripercorrere esattamente i vostri passi per cercarvi il portafoglio.
5. la vostra casa e il quartiere in cui è situata, a un'agenzia per lo scambio casa.
6. la vostra città a degli studenti italiani che ci vogliono venire in vacanza.
7. com'è organizzato il vostro corso universitario, a degli studenti italiani.
8. un piatto tipico, un frutto, un fiore, un animale, ecc., caratteristico del vostro paese, a chi non li conosce.
9. un quadro, un museo, un'opera architettonica, un ristorante che vi hanno colpito.
10. i sintomi di una malattia al medico.
11. il modello di un vestito, un'automobile, un elettrodomestico, un oggetto, ecc., che ha attirato la vostra attenzione, a un amico.
12. un grafico, uno schema, una pianta, un progetto, una tabella statistica, a un collega di lavoro.
13. una figura o una serie di figure, a un bambino piccolo.
14. la dinamica di un incidente stradale di cui siete stati testimoni, alla polizia.

ATTENZIONE: *alcune descrizioni comportano la ricerca di materiale visivo di supporto. Alcune immagini sono allegate nell'ultima sezione.*

Dare istruzioni

Dite come si fa a fare:

1. il pane o la pasta o la vostra ricetta preferita.
2. registrare un programma sul video registratore.
3. aggiustare la camera d'aria di una bicicletta o cambiare una gomma alla macchina.
4. cambiare la pellicola in una macchina fotografica.
5. ottenere la patente o il passaporto.
6. fare una bibliografia.
7. fare una telefonata interurbana da una cabina telefonica.
8. andare da un posto all'altro della città.
9. giocare a... (specificate voi cosa).
10. fare un solitario con le carte.
11. fare qualcosa con la tecnica dell'origami.

ATTENZIONE: *alcuni esempi di istruzioni sono allegati nell'ultima sezione.*

Rispondere a un annuncio

Leggete attentamente gli annunci di lavoro e di affitto-casa che seguono. Sceglietene uno e, lavorando in coppia, fate il colloquio relativo ad esso chiedendo e presentando tutte le informazioni necessarie e i dettagli che ritenete opportuni.

offerte di lavoro

2

**Questo annuncio è rivolto
a uomini di grande esperienza**

NEO PENSIONATI

Una solida Società Fiduciaria milanese
intende sviluppare le proprie strutture
anche con il prezioso contributo di chi,
vantando un curriculum professionale ricco di
contenuti e responsabilità, intende ancora mettere a frutto le proprie
conoscenze ed esperienze.
L'attività proposta, pur escludendo la vendita,
prevede lo sviluppo di contatti ad alto livello.
Per questa ricerca saranno prese in considerazione non più di 10 candidature.
E' gradita, ma non indispensabile, la provenienza dal settore bancario o assicurativo.
Per fissare i termini di un primo colloquio
informativo, si prega di telefonare al n. (02)
78.36.14

1

Società leader nel settore della Ristorazione collettiva

ricerca
nelle province di BOLOGNA e FERRARA

CAPOCUOCHI/E e CUOCHI/E

Si richiede pluriennale esperienza nel settore.
Inquadramento e retribuzione saranno commisurati alle
effettive esperienze nel settore.

TELEFONARE ORE UFFICIO (051) 862384

Orgânizzazione Europea promotrice di iniziative culturali per lo Sport e i ragazzi

cerca

SIGNORA

nella zona di RIMINI, colta, amante dello sport, disponibilità immediata, auto e telefono propri, età 25/35 anni per un'attività di P.R.

3

Per un colloquio personale telefoni al n. 051/233802

Multinazionale svizzera operante nel settore dell'orientamento professionale ricerca

n. 3 GIOVANI DIPLOMATI/E

provenienti preferibilmente da istituti magistrali o tecnici professionali
per inserirli nel proprio organico previo corso di addestramento con incarichi di pubbliche relazioni e consulenza nell'ambito della propria zona di residenza. Ai candidati alla
ricerca di un'azienda in grado di offrire vaste opportunità di lavoro, liberi subito, con
auto propria si offrono:
retribuzione non inferiore a **L. 1.800.000 mensili**
possibilità future di incarichi di responsabilità, inquadramento di legge

4

Per appuntamento telefonare ore ufficio allo   **051-553566**

IMPIEGATI

5 ABBISOGNACI selezionare giovani ambosessi per assunzioni settore computers anche inesperti. Telefonare Milano 80.52.378.

6 ABILI giovani anche senza professionalità primaria azienda zona Duomo assume per impiego qualificato, carriera, buona retribuzione, settore grande espansione. Milano 86.07.98.

7 AFFERMATA società informatica necessita 8 giovani per inserimento settore previo training professionale. Milano 28.99.524.

8 ALTA moda, casa produttrice, con firma ai più alti livelli internazionali, cerca per proprio atélier direttrice vendite cultura livello universitario, conoscenza lingue straniere, ben introdotta ambienti alta classe, precedente esperienza analoga posizione, referenziata. Scrivere: Corriere 114-TS - 20100 Milano.

9 ARREDATRICE ottima presenza classe cultura vasta esperienza spiccata abilità vendite capace lavoro autonomo motivata interessante attività cercasi. Telefonare Milano 40.77.093.

10 A signora estremamente motivata al guadagno, la Garzanti Editore offre un'attività part-time. Si richiede cultura ed età compresa tra i 30/50 anni. Telefonare per appuntamento solo venerdì dalle 9 alle 12.30 e dalle 15 alle 17.30 al 463107.

11 AVVIATO studio professionale cerca seria signorina 17-19enne residente in zona compresa fra Città Studi, Loreto, Monforte, XXII Marzo, Corsica. Richiesta buona dattilografia possibilmente video-scrittura e nozioni contabilità. Rispondere solo con requisiti richiesti. Corriere 592-P - 20100 Milano.

12 AZIENDA milanese assume tre collaboratrici per attività creativa, ideale per la donna degli anni '80. Residenza Milano e circondario, disponibilità immediata, periodo di prova febbraio marzo aprile, retribuito L. 2.400.000. Presentarsi società Promoroma, corso Europa 12, primo piano, ore 9,30-13/15-18.

13 CERCHIAMO giovani anche senza esperienza interessati rapido inserimento impiego. Milano 28.99.524.

14 COMMESSA vetrinista abbigliamento conoscenza inglese, cercasi per negozio di Montenapoleone. Tel. Milano 49.06.66.

15 FILM kolossal preistoria italoamericano, selezioniamo ambosessi tutt'età. Scrivere inviando foto Edicineamerica, Poliziano 70 Roma, Settembrini 35 Milano.

16 INTERPRETE PROFESSIONALE francese tedesco soprattutto inglese ottima condotta stile cultura medio superiore bella presenza disponibilità a viaggiare trattamento e retribuzione altamente qualificati cercasi anche se al primo impiego. Scrivere precisando titoli attitudini e qualità a: La Romana Fiduciaria SpA, piazza Solferino 5, Cap. 10121 Torino.

17 LIBERI subito assumiamo diplomati giovani milanesi per filiali Milano Barona Sesto San Giovanni. Tecnocasa 02-42.28.219-42.29.287.

18 MAGAZZINIERE servizi esportazione con esperienza cercasi. Corriere 252-S - 20100 Milano.

19 MODA scuola professionale buon livello assume ottimi modellisti, insegnanti figurino, storia costume. Telefonare 02-49.86.780.

20 NOTAIO in Viareggio cerca segretaria/o altissimo livello pluriennale esperienza notarile trattamento adeguato per informazioni Tel. 055.43.60.108.

21 RAGIONIERA 30-40enne esperienza decennale, contabilità generale, bilanci, banche, primanota, autonoma, nozioni import-export. Telefonare allo 02-37.64.468.

22 REGISTA Nìnì Grassia - cerca per il film «Vacanza d'inverno» aspiranti attori-attrici 15-50enni - per selezione inviare una fotografia a: Niko film - Via Salaria 95 - 00198 Roma.

23 SEGRETARIA ufficio stilismo ricerca importante industria tessile. Si richiede la conoscenza parlata e scritta della lingua inglese e francese: età 20-25 anni: capacità di svolgere in modo autonomo e preciso lavori di segreteria e di coordinamento. Inviare dettagliato curriculum vitae a: Corriere 587-P - 20100 Milano.

24 TOUR OPERATOR di primaria importanza ricerca, per propria sede di Milano, product manager cui affidare la completa responsabilità della gestione del prodotto vacanze studio all'estero e vacanze bambini in Italia. La persona che si intende contattare dovrà avere un'età tra 30-35 anni, un'esperienza almeno quinquennale maturata in importanti agenzie viaggi nel settore delle vacanze studio, una perfetta conoscenza scritta e parlata della lingua inglese e di almeno un'altra lingua. Offresi un'interessante posizione all'interno dell'azienda ed una retribuzione proporzionata alle effettive capacità del candidato/a. Corriere 489-T - 20100 Milano.

25 Sono vedovo, e cerco, per i miei 2 figli di 10 e 12 anni, una persona seria, responsabile, affettuosa per aiuto come vice-madre. Richiedo ottima conoscenza del tedesco per seguire i bambini nei compiti e patente auto. Offro vitto, alloggio e stipendio da concordare in base all'impegno. Scrivere a Manfred Gotz, Oppenrieder St. 47, 8000 Monaco di Baviera 71 (Germania Occidentale) o telefonare al numero 089/786888 (abitazione).

26 Professionista residente a Milano cerca persona fidata e referenziatissima cui affidare la cura di una bambina di circa 3 anni. Richiede presenza fissa. Data prevista dell'assunzione 1° settembre. Offre vitto, alloggio e retribuzione interessante. Telefonare nelle ore d'ufficio al numero 02/9587832.

Case

OFFERTE AFFITTO

1 ALLOGGIO uso transitorio, corso Vittorio (monumento) 2 camere e servizi, lire 250 mila mese. Scrivere Publikompass 6424-10100 Torino.

2 APPARTAMENTO zona corso Stati Uniti, in palazzina, 7 locali, cucina, tripli servizi, terrazzo, box, affittasi lire 1 milione 400 mila mese, Scrivere Publikompass 6425 - 10100 Torino.

3 AVIGLIANA precollina, affittasi alloggio a prossimi sposi referenziati. Torincase 515.318.

4 Affitto a Milano, in viale Famagosta, un monolocale arredato con cucinino e grande bagno: lire 400 mila mensili, comprese spese condominiali e uso di piscina. Telefonate al numero 02/7383559.

5 Affitto settimanalmente o mensilmente per marzo-aprile a Sanremo un attico vicino al mare con box, adatto per una coppia con bambino. Telefonatemi al numero 0184/80810 o scrivete a Albini, corso Nuvoloni 6, Sanremo.

6 Affitto un appartamento in zona Zavattarello (PV), nelle vicinanze del lago Titone, composto da camera, cucina abitabile, bagno, terrazzo, riscaldamento autonomo, giardino e posto macchina. Telefonatemi al numero 0383/58136.

7 Affitto a impiegati o laureati con referenze controllabili un appartamento arredato a Milano in zona Forze Armate, di 3 locali più servizi, al 3° piano, con ascensore e balcone. Mi potete telefonare al numero 4598758.

8 Affitto un appartamento arredato e composto da 2 locali più servizi, in fondo al viale Fulvio Testi, alle porte di Milano. Telefonatemi, rispondo al numero 02/7531643.

ABITAZ. LOCALITÀ TURISTICHE, CLIMATICHE

9 A Baia Caddinas (Sardegna) affitto fino a ottobre un appartamento di 240 mq su 2 piani a 100 m dal mare, con posto macchina recintato. È composto da grande soggiorno con televisore, ampia cucina-pranzo, ha 8 posti letto, doppi servizi e giardinetto. Maggio e ottobre un milione e 500 mila lire mensili, giugno e settembre 2 milioni mensili, luglio 3 milioni (esclusa acqua e luce), agosto 4 milioni (esclusa acqua e luce). Biancheria da letto compresa. Telefonatemi al numero 0789/21612.

10 SAN GIMIGNANO (SI) scambio mese luglio dependance 3/4 posti letto con una di pari caratteristiche in località marina preferibilmente isole. Tel. (02) 90.90.976.

11 OSTUNI MARINA (BRINDISI) affittasi, vicinissima mare, villetta arredata, trilocali, biservizi, cucina, giardino esclusivo. Tel. (0831) 41.87.78.

12 BELLARIVA di RIMINI affittasi appartamenti da maggio-settembre. Tel. (0541) 84.297.

13 COSTA SMERALDA affitto giugno, luglio, agosto, settembre, bellissima villa solo a nucleo familiare. Splendida vista, ampio giardino, arredamento elegante, salone, camera matrimoniale, camera ragazzi due letti singoli, cucina, due bagni.

14 ALGHERO, bastioni spagnoli, sul mare, casa completamente ristrutturata affitto ampio monolocale elegantemente arredato mesi giugno, luglio, agosto, settembre. Tel. (079) 272.728 preferibilmente ore pasti o serali.

15 VIESTE GARGANO affitti, anche settimanali, di miniappartamenti arredati, in posizione panoramica collinare vicino alla spiaggia. Tel. (0884) 76.787.

16 VENEZIA affittasi brevi periodi miniappartamento completamente arredato, 5 posti letto, doppi servizi, angolo cottura. Tel. (041) 52.60.703 dopo le ore 21.30.

17 VULCANO ISOLE EOLIE privato affitta da maggio-ottobre, anche quindicina bassa stagione, due appartamenti 4/5 posti letto, piano unico, villa signorile, giardino e terrazze, 50 m mare. Tel. ore serali (031) 506.528 o scrivere: Venturi, via Grilloni 10, 22100 COMO.

CAMERE, PENSIONI

18 AFFITTO in meublé centrale solo donne bambini camera arredata servizio ascensore prezzo mite. Tel. 366.831 ore 12-14.

19 AFFITTO immediatamente cameretta ammobiliata convenientissima. Affittasi posto letto. Milano 32.40.01 - 32.16.97.

20 CORSICO affittasi a referenziato camera ammobiliata recente, cucina servizi indipendenti, 02-44.73.025.

21 VIVO sola in Bassa Val di Susa in una casa relativamente grande e sarei disposta a ospitare persona anziana e sola. Telefonate al numero 011/9350349.

22 Signora vedova pensionata affitta una camera confortevole a una signora referenziata. Telefonare nelle ore d'ufficio al numero 02/809969.

Annunci matrimoniali

Dividersi in 2 gruppi A e B. Leggere attentamente gli annunci corrispondenti e riempire la scheda relativa (solo la prima parte di ogni colonna). Compilare la voce «personalità» per ultima sulla base degli altri dati, delle proprie deduzioni e della discussione con i compagni di gruppo. Per completare la scheda, seguire le istruzioni dell'insegnante.

A

25	MATRIMONIALI

1 AUSTRALIANO 50enne sposerebbe amante casa carina max 35enne. Corriere 3-ZP - 20100 Milano.

2 CELIBE impiegato, appartamento proprio, serio, sano, conoscerebbe per scopo matrimonio nubile, divorziata o vedova anche disoccupata, età massima 48 anni. Accetterebbe anche straniera. Corriere 731-S- 20100 Milano.

3 CELIBE musicista 45enne, alto m. 1,68, simpatico, romantico, posizione socioeconomica, appartamento in Milano zona residenziale, relazionerebbe scopo matrimonio con piacente signorina, buona posizione max 35enne, preferibilmente formosa, gentile e non autoritaria, abitante in Milano o provincia. Dettagliare prego. Corriere 282-S - 20100 Milano.

4 IMPRENDITORE 37enne nato e residente a circa 20 km da Milano ottima posizione bella presenza sposerebbe carina seria amante famiglia massima riservatezza. Gradito telefono. Corriere 693-S - 20100 Milano.

5 INGEGNERE milanese imprenditore quarantatreenne ottima presenza posizione socio-economica forte personalità elegante colto dinamico molteplici interessi conoscerebbe eventuale matrimonio persona intelligente femminile raffinata. Corriere 50-CA - 25121 Brescia.

6 IO accademico bavarese, 42enne, altezza 1.80, 77 kg., celibe, cattolico, desidererei sposare una signorina nubile italiana, capelli neri, 27-34 anni, colta, con buona conoscenza della lingua inglese o tedesca. Corriere 192-RL - 20100 Milano.

7 LAUREATO, cinquantunenne, 1.85, snello, atletico, distinto, ricchissimo, proprietario immobili, sposerebbe giovane, bella, seria, intelligente, buon carattere, adeguata posizione socio-economica, dettagliare. Corriere 634-S - 20100 Milano.

8 SE sei una ragazza semplice e sensibile, se pensi a formarti una famiglia e ti piacciono i bambini, se sei profondamente cattolica, non esitare a rispondermi. Desidererei conoscerti per eventuale fidanzamento e matrimonio. Ho trentatrè anni, bella presenza e tanta gioia di vivere. Sono impiegato, laureato. Corriere 288-S-20100 Milano.

B

25	MATRIMONIALI

1 DISTINTA 58 enne colta, economicamente indipendente relazionerebbe scopo matrimonio gentiluomo pari requisiti. Corriere 598-P - 20100 Milano.

2 DIVORZIATA bionda distintissima alta classe indipendente conoscerebbe scopo matrimonio signore agiatissimo massimo 65enne. Scrivere: «Publikompass 5322-10100 Torino».

3 GRAZIOSA trentasettenne. elegante, sensibile, buona posizione socio-economica, socievole, altruista, amante cultura valori tradizionali, conoscerebbe eventuale matrimonio persona distinta, benestante, onesta. Corriere 51-CA-25121 Brescia.

4 38ENNE giovanile dinamica bella presenza benestante prossima ereditiera, senza figli sposerebbesi adeguatamente max 48enne, scrivere dettagliatamente a: «Publikompass 6430-10100 Torino».

5 SIGNORA di origine triestina, buona posizione sociale, piacevole cinquantenne, desidera incontrare gentiluomo professionista per disinteressata amicizia, eventuale matrimonio, prego astenersi senza requisiti. Corriere 9-P - 20100 Milano.

6 SIGNORINA venticinquenne, diplomata, ottima presenza, erede ditta paterna, affettuosa, amante sci, tennis, lettura, conoscerebbe eventuale matrimonio persona eclettica, ambiziosa, esperta azienda. Corriere 41-CB - 25122 Brescia.

7 SNELLA femminile, molto bella, dolce, distintissima, risposerebbe prestigioso 50-65enne similitudine, educazione, intelligenza, onestà, bontà, capace dare amore, serenità, protezione. Inanonimi; si assicura e richiede serietà, riservatezza. Scrivere Pubbliman casella 605-B - 37100 Verona.

8 VENTISETTENNE laureata milanese distinta seria leale socievole amante valori morali familiari affettuosa distinte condizioni socio-economiche priva conoscenze adeguate conoscerebbe laureato serio massima riservatezza scopo eventuale matrimonio. Corriere 450-H-20100 Milano.

SCHEDA A

	donna	2	3	4	5	6	7	8
	1							
ETÀ								
PROVENIENZA								
STATO CIVILE								
LAVORO								
CONDIZIONI ECONOMICHE								
CARATTERISTICHE FISICHE								
INTERESSI								
PERSONALITÀ								
ALTRO								

SCHEDA B

uomo

	a	b	c	d	e	f	g	h
ETÀ								
PROVENIENZA								
STATO CIVILE								
LAVORO								
CONDIZIONI ECONOMICHE								
CARATTERISTICHE FISICHE								
INTERESSI								
PERSONALITÀ								
ALTRO								

Dare consigli

Immaginate di essere chi ha scritto la lettera assegnatavi dall'insegnante ed esponetene i problemi.

La vostra posta

1

Il mio ragazzo è tanto caro e ci vogliamo bene, purtroppo ciò non impedisce che litighiamo spesso per il fatto che lui dice molte bugie, magari senza grande importanza, ma ciò mi irrita molto. Come mi consiglia di comportarmi? Ho provato a farglielo notare ma si mortifica o si offende e poi mi tiene il broncio. (*Dolores. F., Varese*).

2

Ho quasi quarant'anni e sono una bella donna. Ossia una «zitella» di bell'aspetto, ho il coraggio di dichiararmi zitella, come vede, nonostante i risolini, le allusioni, ecc., che provoca questa parola e che debbo subire ogniqualvolta vien fuori che non sono sposata. Tuttociò perché, odiando il compromesso, rinuncio alle facili occasioni e alle situazioni ambigue. Grazie a Dio ho un buon impiego e un appartamento molto confortevole. Chiedo a lei perché la società è così crudele con le donne nubili, perché mi devo sentire sempre addosso sguardi ironici e subire situazioni offensive (*P.R., Lugano*).

3

Ho la fronte molto sguarnita, il che fa pensare che abbia un principio di calvizie, in verità da anni l'inconveniente non aumenta. Sono da alcune settimane in rapporti epistolari con una persona che ancora non conosco personalmente e che dovrò conoscere fra un mese quando arriverà dal Venezuela. Si tratta di un amico di mio fratello, colà residente, e potrebbe trattarsi di un buon matrimonio per me. Lo scambio di fotografie, finora, è stato soddisfacente, grazie a certi accorgimenti (una mezza parrucca). Infatti non si è accorto del mio difetto, anzi ha apprezzato in una sua lettera «le belle onde» della mia capigliatura. Adesso sono preoccupata. Mi consigli lei. Quando quest'uomo arriverà, come presentarmi per non illuderlo, né deluderlo! (*Costanza T., Avellino*).

4

Sono una giovane moglie innamorata e arrabbiata per il comportamento di mio marito che giudicavo fino a poco tempo fa un gentiluomo, mentre ora mi chiedo se non ho sposato un bruto. Giudichi lei. Ho 22 anni e sono, perdoni l'immodestia, bella e ben fatta. Lui ha trent'anni, fascinoso tutto d'un pezzo. Siamo invitati a un pranzo fra gente bene e brillante. Inauguro un'adorabile tunica trasparente senza reggiseno e con slip di lamé. Sexy ma splendido. Lui mi ordina di metter sotto una sottoveste. Gli rispondo che quell'insieme va portato così, è costato carissimo (paga lui) e non intendo rovinarne l'effetto. Lui è irremovibile. Vado di là, fingo di obbedire, indosso la pelliccia e usciamo. Quando siamo ormai fra gli amici, si accorge che sono rimasta com'ero ma non dice nulla. Tutta la sera ho un successo fantastico, penso che se ne rallegri anche lui, perché balliamo insieme più di una volta. Invece appena rientrati mi toglie la pelliccia con gentilezza e subito dopo mi molla due ceffoni! Poi va a dormire nel suo studio... Il giorno dopo, come nulla fosse! Le chiedo cosa pensa di tutto questo. (*Innamorata e arrabbiata*).

5

Ci capita abbastanza spesso di uscire in compagnia di amici fra cui uno scapolo che sarebbe simpatico se non avesse l'abitudine di sciorinare barzellette che man mano, col passare delle ore, diventano sempre più volgari. Poiché si rivolge generalmente a me (si professa mio ammiratore) non so come reagire e lui sembra goderne. Non vorrei offenderlo con una risposta che metterebbe il gelo nella compagnia senza contare che questa persona ha reso un servizio importante a un mio fratello lo scorso anno. Ma non sopporto la volgarità e chiedo perciò a lei come farglielo capire. (*Dionisia - PA*).

6

Ho 44 anni e sono ancora carina con una figura snella e femminile. Giovanissima mi innamorai di un giovane che i miei giudicarono non adatto a me perché di condizione sociale economica assai inferiore. Erano altri tempi, non si poteva uscire di nascosto, rinunciai a questo grande amore e ne sposai un altro. Credevo di aver scelto bene, invece ho sbagliato tutto. Le cose si sono capovolte col tempo: il mio primo amore ora è un grosso industriale, io sono rimasta la moglie di un commerciante dal carattere prepotente, sgarbato egoista, che mi sopraffà, mi mortifica davanti ai clienti, si approfitta del mio carattere timido. Abbiamo un figlio sensibile come me e questo è un motivo che mi induce a non sfasciare il nostro ménage ma ci sono giorni che nel mio cuore provo solo odio per mio marito. Ora è accaduto che a distanza di venticinque anni ho incontrato il mio primo amore, ho accettato di uscire con lui una sera a cena (mio marito era assente) e poi di fare l'amore. Ma sia l'emozione, sia il fatto che sono di natura frigida e non ho mai provato nemmeno con mio marito il piacere dell'atto fisico, anche questa volta di soddisfazione non ne ho avuta, del che anche lui è rimasto male. Eppure continuo a pensarlo giorno e notte, mi dispero al pensiero che forse non lo incontrerò più senza contare che è sposato e ha tre figli. Da tutto questo mi è venuta una sola soddisfazione: tutte le volte che mio marito mi fa degli sgarbi ormai il mio cuore esulta al pensiero di averlo tradito e più fa il gradasso e più mi comanda, più dentro di me ne godo! (*Lettera da Como*).

7

Come liberarmi di un corteggiatore insistente e attempatello che non mi dà pace e mi coinvolge perfino nella sua ridicolaggine. Si tratta di un ex Don Giovanni che non disarma e che ovunque lo incontri non mi molla di un passo. Se ciò accade per strada, mi accompagna per i negozi. Se accade in un ritrovo, mi si siede accanto e non mi molla per tutta la serata. Il suo ritornello è «Lei ha tutto, non rifiuti il poco che le chiedo, sarebbe da egoista...» Non sono cattiva e ci rimango male. Cosa rispondergli? (*Pierina G., Napoli*).

8

Invitata per il tè in casa di una signora della cittadina dove ci siamo trasferiti da poco, mi sono presentata puntualmente alle cinque, come mi era stato detto. Le altre signore, fra cui la moglie del sindaco, si sono presentate alle sei. Ho portato dei fiori che sono stati messi su una sedia con un grazie distratto. Sono una giovane sposa, mio marito è direttore della filiale di una banca, abbiamo un titolo nobiliare. L'accoglienza della padrona di casa e delle sue invitate è stata cordialissima ma la conversazione difficoltosa per mancanza di argomenti. Si è parlato soltanto di domestiche, di acciacchi, di matrimoni e fidanzamenti fra persone del luogo. Essendo la più giovane non osavo accomiatarmi per prima e così si son fatte le otto. A questo punto mi sono alzata e mi son resa conto che si aspettava proprio che io dessi il segnale di partenza. Temo di esser stata giudicata male e di aver sbagliato tutto. (*A.M.*).

9

Quarantaquattro anni, alta un metro e sessantotto, peso ahimé settantanove chili. Abbiamo due figli maschi che a tavola esigono pastasciutta e cibi sostanziosi. Per questa ragione finisco per mangiare come loro anche se mi accontenterei di cibi più leggeri. Anziché essermi grata del sacrificio in famiglia mi si prende in giro. Vengo chiamata «cicciona» da mio marito, «mammona» dai figli e quando mi presenta a qualche conoscente, il mio caro sposo non perde occasione di dire «Vi presento la mia dolce ... tonnellata», provocando l'ilarità generale. Vorrei che mi dicesse come fargli capire che mi manca di rispetto e che queste spiritosaggini non depongono per lui, anche se la gente sembra divertirsene (*Adele, Campobasso*).

10

Ho 19 anni e ho anch'io il mio ragazzo che ne ha 25. Ora siamo prossimi alle nozze e sono incominciati i guai. Mentre al principio era d'accordo che lavorassi, poi ha incominciato a complicarmi le cose. Non gli andava che facessi l'estetista e così ho lasciato quel lavoro per passare in alcune radio libere. Anche questa occupazione poi non gli andava e così son passata ad altri lavori in proprio. Ora ha deciso che dopo sposata non dovrò più lavorare. Si figuri che dovrei vivere con mia suocera. Solo a questo pensiero mi sento male. Da un po' di tempo non si fa che litigare. Come andrà questo matrimonio? (*Quasi sposa, Brindisi*).

11

Sotto Natale abbiamo ricevuto una zuccheriera d'argento... presentata nella scatola di una nota gioielleria. Non avendo nessuna necessità di quell'oggetto mi sono recata al negozio per chiedere di cambiarlo con qualche altra cosa. Mi sono sentita rispondere, primo: l'oggetto non era stato acquistato in quel negozio. Secondo: non era d'argento bensì di metallo. Ora deve sapere che per sdebitarci di quel dono, che avevamo ovviamente sopravvalutato, abbiamo a nostra volta acquistato per questi amici un portasigarette da tavolo, d'argento «vero», mangiandoci una grossa fetta della tredicesima... E siamo stati ringraziati quasi distrattamente. Cosa ne pensa, Donna Letizia? (*P.N. Varese*).

12

Ho 31 anni e mi vanto di una discreta presenza. Nonostante ciò, a parte qualche brevissimo insignificante flirt estivo, non ho mai conosciuto il vero amore, completo. Tuttociò provoca in me crisi di abbattimento e pianto convulso. Ultimamente ciò si è ripetuto e a un'osservazione dei miei ho reagito urlando: «Volete capirlo sì o no? Voglio un uomo!». Dall'appartamento accanto (le pareti sono così sottili!) il mio grido è stato recepito e una voce a me ben nota ha risposto: «Eccomi!». Può immaginare il mio stato d'animo e la vergogna dei miei genitori addolorati e sconvolti! Ora non oso più uscir di casa nel terrore di incontrare per le scale il mio vicino. Che fare? Mi consigli lei (*Lettrice in pena*).

13

Dirigo dalla morte di mio marito una piccola fabbrica di manufatti che va abbastanza bene dati i momenti. Ho cinquantadue anni ma non dimostro. Quest'estate, durante le vacanze al mare, ho conosciuto un barone, di origine siciliana, molto distinto, condizione economica non troppo buona da quanto ho capito. Ora avrei pensato di associarlo alla mia ditta, affidandogli il ramo dei rapporti con l'estero dato che parla correttamente le lingue. Quel che mi spaventa un po' è che mi è parso un pò megalomane, nulla è abbastanza raffinato e bello per lui e se questo ha i suoi lati buoni può non averli in un'azienda che si regge sulla stretta economia. Inoltre mi ha fatto capire che gli piaccio. Ora io ho già un legame solido con un ingegnere scapolo che non sposo perché viviamo bene così tutti e due. Non vorrei che tutto questo portasse confusione nella mia vita e nella mia azienda. (*Incerta*).

14

Vivo in un paese della Sicilia, sono una bella donna e amo riamata mio marito che sarebbe un ottimo compagno buono e intelligente se non fosse possessivo e geloso. Infatti, non posso scambiare un sorriso o due parole con un amico, tutto diventa tragedia. Si figuri che per un certo periodo si era messo in testa che avessi una relazione con un negoziante del quartiere, cosa assolutamente sballata. Insomma, nonostante l'amore che ho per mio marito, anche dopo 10 anni di matrimonio, sono stanca di questa atmosfera, vorrei evadere, ho bisogno di pace. Potrei trasferirmi altrove, e vedere com'è la vita in altre città! Ma so che questo significherebbe la rottura del nostro matrimonio e la separazione dai miei due bambini che adoro. Non mi dica di discuterne con mio marito, è il classico maschio siciliano geloso e sospettoso. Sono abbastanza giovane, laureata in lingue e.. disperata! (*Caterina 44*).

15

Nostra figlia si sposerà fra due mesi, il futuro genero per quel che possiamo giudicare noi, è un bravo ragazzo con un lavoro che offrirebbe possibilità di carriera ma con un terribile handicap, l'assoluta mancanza di saper vivere, a tavola in particolare. Ogni qualvolta viene a cena, per noi è una vera sofferenza.

Più che seduto, sta stravaccato, con i gomiti talmente divaricati che debbo calcolargli un doppio posto quando apparecchio. Evito di servire brodi o minestre perché li ingurgita come lo scarico di un lavandino. I formaggi li porta alla bocca col coltello. Parla a bocca piena, s'infradicia regolarmente... insomma una frana. Al punto che l'altra figlia quando c'è lui preferisce uscire e mangiar fuori. Quando facciamo qualche lieve accenno a nostra figlia, questa ride e non dà importanza alla cosa. Pensi che non osiamo invitare altre persone insieme a lui a pranzo! So bene che lei non ha la bacchetta magica ma cerchi, se può, di aiutarci. (*M. F. Bergamo*).

16

Mi limito a dirle che sono conosciuta come una ragazza seria, colta e, modestia a parte, bella. Ma pochi giorni fa sono entrata in apnea, ho scoperto che sono esclusa dalla realtà che più desidero: quella di poter conoscere meglio l'uomo che mi ha fatta sognare. Mi è capitato di dover andare da un dentista, e qui succede tutto. Si apre la porta dello studio e vedo un giovane medico (da discrete informazioni ho saputo che è libero) che mi offre e mi trasmette uno sguardo emozionante, direi travolgente. Entrando e sedendo vicino a lui mi sono sentita elettrizzata. Ho avuto altri due appuntamenti per una revisione. Da quel giorno riesco a fare solo viaggi accompagnata dalla mia emozione. Ma lui continua solo a essere gentilissimo. Mi sento disperata, come posso fare sì che questa persona entri nella mia vita? (*Vanessa 63*).

da «Lettere a Donna Letizia», Grazia, Mondadori

Raccontare una storia

1. *Leggete attentamente la parte di storia assegnata ad ognuno di voi dall'insegnante.*

- *Dopo aver restituito il testo all'insegnante, a turno, riferite la parte che avete letto agli altri componenti del gruppo, allo scopo di ricostruire per intero la sequenza narrativa.*

- *Un portavoce per ogni gruppo racconta al resto della classe la versione finale della storia così ottenuta.*

- *Discutete tutti insieme controllando se le versioni formulate dai vari gruppi coincidono o no.*

2. *Raccontate alla classe una favola di vostra scelta.*

ASCOLTARE E GIOCARE

1. ROMPICAPO

2. AVVENTURA NELLO SPAZIO

3. ECCO QUA LA VOSTRA VERA ETÀ

4. A QUALE ANIMALE SOMIGLI?

5. QUAL È LA TUA NEVROSI?

6. E TU CHE FANTASMA DIVENTERAI?

7. SE FOSSE...

Ascoltare e giocare

Rompicapo

Formulate tutte le domande necessarie a risolvere gli enigmi delle seguenti storielle e chiarite esattamente le circostanze in cui si verificano gli eventi raccontati.

1. Un uomo con un fardello sulle spalle finisce in un campo e muore.

2. Un uomo dice a una ragazza: «Veramente io non ti amo». La ragazza sorride felice e risponde: «Allora sposiamoci».

3. Il telefono squilla nel cuore della notte e una donna si sveglia e risponde. Chi ha telefonato riattacca, senza rispondere, e si sente meglio.

4. Un negro, completamente vestito di nero, avanza camminando per una strada di campagna priva di illuminazione. Proprio mentre lui attraversa la strada, sopraggiunge velocemente una potente macchina nera, a fari spenti. Fortunatamente l'automobilista riesce ad evitare il passante.

5. Due prigionieri evasi di prigione sono andati dalla città X alla città Y. I loro inseguitori sono certissimi che loro sono invece andati da Y a X.

6. Due uomini guardano dietro un angolo e vedono qualcosa che li fa subito scendere giù.

7. In Texas, un tipo entra in un bar e chiede un bicchier d'acqua. Il barista punta una pistola contro di lui. Lui ringrazia e se ne va.

8. Un giovane viene portato d'urgenza al Pronto Soccorso perché gravemente ferito in un incidente automobilistico in cui è, purtroppo, rimasto ucciso il padre. Il chirurgo in servizio lo guarda e poi dice: «Mio Dio, non posso operare mio figlio».

9. All'ottavo piano di un moderno condominio abita un tipo strano. Per tornare a casa, a volte sale in ascensore, preme il quinto bottone, esce e fa tre piani a piedi. A volte va diretto a casa.

10. Un uomo è andato da A a B in treno. Durante il viaggio il treno è entrato in una galleria. L'uomo è andato a B per trovare una persona. Dopo l'incontro, tutto contento, ha ripreso il treno per tornare a casa. Ripassando per la galleria, si è buttato giù dal treno.

11. Una coppia era morta in una stanza chiusa. Un cane guaiva disperatamente cercando di uscire dalla camera.

12. Un uomo, andando a letto, spegne la luce. Poi sente un rumore e dice: «Santo cielo, ho commesso un errore!» e si uccide.

13. Una donna ha commesso un reato. La polizia l'ha colta sul fatto, arrestata e portata davanti al giudice che però non sa cosa fare.

14. Un uomo aveva le braccia che sporgevano all'esterno di una cabina telefonica i cui vetri erano in frantumi. Il ricevitore era staccato. Fuori della cabina c'era solo una gran borsa nera.

15. Durante la seconda guerra mondiale, un soldato alleato, travestito da nazista, entra in un bar. In perfetta pronuncia ordina una birra. Ma i nemici lo riconoscono e gli sparano.

Avventura nello spazio

Consideratevi membro dell'equipaggio di un'astronave il cui programma originale di volo prevedeva un appuntamento tra la vostra astronave e l'astronave madre, in un punto prestabilito della superficie illuminata della luna.

Purtroppo a causa di un guasto improvviso, il vostro veicolo ha dovuto compiere un atterraggio di emergenza e siete scesi a 50 Km dalla località in cui si trova la seconda astronave.

Nel corso della manovra di atterraggio la vostra astronave ha subito danni irreparabili; una buona parte del materiale in dotazione è andata distrutta mentre alcuni membri dell'equipaggio sono rimasti lievemente feriti.

L'unica speranza di salvezza consiste nell'affrontare i 50 Km di percorso che vi separano dall'astronave madre, che non ha potuto essere informata della disavventura capitata al vostro veicolo, e che non è quindi in condizione né di portarvi aiuto né di localizzare la vostra posizione.

Poiché non vi sarà possibile trasportare tutte le attrezzature, o comunque una parte di essa dovrà essere abbandonata durante la marcia di avvicinamento, *il vostro obiettivo è di stabilire un ordine di importanza dei materiali e delle attrezzature rimaste indenni.*

Nel fare la vostra scelta considerate ogni volta, attentamente, le conoscenze che avete dell'ambiente lunare. A seconda delle vostre preferenze, riportate i numeri nelle colonne sottostanti, poi prendete una decisione comune sulle attrezzature da trasportare.

DECISIONE INDIVIDUALE	DECISIONE DI GRUPPO	VOCI
_____	_____	scatole di fiammiferi
_____	_____	alimento concentrato
_____	_____	seta per paracadute
_____	_____	2 pistole calibro 45
_____	_____	cassa di latte in polvere (disidratato)
_____	_____	2 bombole di ossigeno da 100 litri
_____	_____	elemento riscaldante portatile
_____	_____	50 metri di fune di nailon
_____	_____	mappa stellare della costellazione lunare
_____	_____	bussola magnetica
_____	_____	50 litri d'acqua
_____	_____	razzi chimici di segnalazione
_____	_____	cassetta di pronto soccorso con farmaci per uso orale ed iniettabili
_____	_____	apparecchio radio-trasmittente-ricevente a modulazione di frequenza con batteria solare

Ecco qua la vostra vera età

Questo test vi permette di stabilire la vostra "età effettiva" (un insieme di esperienze, gusti, umori, comportamenti ecc.), la vostra "eta del cuore" e la vostra "età mentale" (della maturità intellettuale). Provate.

Roma. Per cercare di dimenticare quella deprimente convenzione costituita dall'età anagrafica, l'uomo non ha mai smesso di rifugiarsi in resistenti autoinganni: dalle frasi fatte che inducono ad effimere consolazioni (« la vita comincia a 40 anni », « la vera età è quella che sentiamo di avere ») ai piccoli espedienti quotidiani per nascondere un paio di primavere, spianare una ruga, rinverdire una canizie.

Il gioco in forma di test che qui pubblichiamo, ideato da Walter Lewino del "Nouvel Observateur", vuole invece portare un po' di metodo all'illusione della cosmesi. Se fatto a dovere, esso vi farà scoprire la vostra età (un bel misto di moti dell'anima, esperienze, gusti, comportamenti e gesti spontanei), attraverso domande apparentemente futili che qualche volta vi chiamano a giudizi seri. Consapevoli, però, della complessità del compito (come non tener conto che si può essere freddi calcolatori nella vita sociale e cuccioli sperduti in quella sentimentale?) gli autori del test hanno sapiente-

mente calcolato anche altre due età: "l'età del cuore" (emotiva e sessuale) e "l'età mentale" (o dell' efficienza e maturità intellettuale) permettendovi di calcolare la distanza tra quelle parti di voi stessi non sempre in armonia.

Compilate il test con spontaneità, scegliendo la prima risposta che vi viene in mente, senza correzioni o ripensamenti. Date una sola risposta per ogni domanda e se nessuna delle cinque indicazioni corrisponde esattamente a ciò che pensate, scegliete quella che vi si avvicina di più.

E se poi il dongiovanni si scoprirà una sessualità centenaria e il manager potente l'età mentale di suo figlio, meglio non prendersela. La vera sconfitta, in questo gioco, è una sola: l'intramontabile, onnipresente, insopportabile età legale che, come vedrete, quasi mai corrisponde alla vostra nuova « età effettiva ».

E adesso cominciate. Raccomandazione: rispondete con spontaneità, senza indugiare troppo.

1 — MATRIMONIO
a) 1 ○○○
b) □□□
c) ■■■
d)
e) 10 ●●

7 — DIFETTI
a) 1 ●●●
b) 10
c) ○○
d) □□□
e) ■■

13 — DEPRESSIONE
a)
b) ○○
c) 10 ■
d) □□
e) 1 ●

19 — ABOLIZIONE
a) 1 ●●●
b) 10 ■■■
c)
d) ○
e) □

2 — POLIZIESCO
a) ■■■
b) 1 ○
c) 10 ●●
d)
e) ○○○

8 — PENSIONE
a) □
b) ●
c) 1 ■■
d) 10
e)

14 — BACIO
a)
b) ○○○
c) 10 ●●
d) 1 ■
e) □□□

20 — DENARO
a) □□□
b) 10 ■
c) 1 ●●
d) ○○
e)

3 — BANCONOTA
a) □□□
b) 10
c) ●●
d) ■
e) 1 ○○○

9 — INVENZIONE
a) 10 ●●
b) 1 □
c) ■■■
d)
e) ○○

15 — ANTENATO
a) □□
b) 1
c) ●
d) 10 ■■■
e) ○○

21 — LIMITE
a) ■■
b) □
c) 10 ●●●
d) 1 ○○
e)

4 — INSULTI
a) 1
b) ●●
c) ○○○
d) □□□
e) 10 ■■

10 — DONNE
a) ■
b) 1 ○○
c) □□
d) 10 ●
e)

16 — LETTERE
a) ■■
b) 1
c) ○○○
d) ●●●
e) 10 □□□

22 — AMERICANI
a) ●●
b) 10 □
c) ○○
d) ■■■
e) 1

5 — MESTIERI
a) 10
b) □
c) ■■■
d) ○
e) 1 ●

11 — UOMINI
a) 1 ○
b) □
c) ●●●
d)
e) 10 ■■

17 — VINO
a) ■
b) 10 ●
c) 1 ○
d) □□
e)

23 — AMERICANI
a) |10
b) □
c) 1 ■
d) ○
e) ●●

6 — RINUNCIA
a) 1 □□
b)
c) 10 ●●
d) ○
e) ■■

12 — SARTRE
a) ○○
b) 10 ■■■
c) ○○
d) 1
e) □□□

18 — INNO
a) ●●
b) 10 ■
c) ○○
d) 1
e) □□

24 — CASA
a) 10 ●●
b) 1
c) ○○○
d) □
e) ■

ISTRUZIONI

Riportate le risposte che avete dato alle 24 domande. A ciascuna delle vostre risposte potrà corrispondere sia un numero (1 o 10), sia una certa quantità di tondini (bianchi o neri) o di quadratini (anch'essi bianchi o neri), sia niente del tutto.

Fate il totale dei numeri, dei ·dini bianchi e di quelli neri, dei quadratini bianchi e di quelli neri, e riportate tutti i totali nel riquadro qui accanto.

La vostra età effettiva (quale che sia quella anagrafica) è data dal totale dei numeri che avrete incontrato nelle vostre risposte.

Per conoscere invece l'età del cuore, delle emozioni e della sessualità calcolate la differenza tra i totali dei tondini bianchi e di quelli neri e moltiplicatela per 2.

Se i tondini bianchi sono più numerosi di quelli neri, sottraete il risultato della moltiplicazione dalla vostra età effettiva.

Se sono più numerosi i tondini neri, aggiungete il risultato della moltiplicazione alla vostra età effettiva. Esempi:

a) Risultato età effettiva = 42 anni
○ = 18
● = 12
differenza a favore dei ○ = 6
Età del cuore:
42 — (6×2) = 30 anni

b) Risultato età effettiva = 29 anni
○ = 10
● = 14
differenza a favore dei ● = 4
Età del cuore:
29 + (4×2) = 37 anni

Infine l'età mentale si calcola nello stesso modo della precedente, ma utilizzando i quadratini bianchi e neri. Esempi:

a) Risultato età effettiva = 42 anni
□ = 15
■ = 8
differenza a favore dei □ = 7
Età mentale:
42 — (7×2) = 28 anni

b) Risultato età effettiva = 42 anni
□ = 16
■ = 18
differenza a favore dei ■ = 2
Età mentale:
42 + (2×2) = 46 anni

numeri ....
○ ....
● ....
□ ....
■ ....

A quale animale somigli?

di STEFANIA ROSSINI

**Rispondete alle domande, analizzate i risultati secondo le istruzioni.
Scoprirete a quale animale, aggressivo o pacifico,
simpatico o scostante, si avvicina di più il vostro carattere**

In ogni essere umano cova, sopita ma non sconfitta, la bestia di una volta. Millenni di civilizzazione, di faticoso addestramento alla società, l'hanno però costretto a mostrarsi, raramente e quasi furtivamente, in una piega del carattere, in un improvviso moto di fuga, in un approccio aggressivo o eccessivamente timoroso. Alcuni studiosi si industriano a rintracciare il lungo cammino dell'evoluzione nelle successive stratificazioni del cervello, altri ricordano quei due o tre elementi (linguaggio, autoconsapevolezza, capacità simbolica) che ci avrebbero separato definitivamente dagli animali. Altri ancora continuano a cercare sul campo, tra i popoli primitivi, il livello di animalità presente tuttora nell'individuo umano, sia pure in popoli che si trovano oggi in uno stadio di civiltà paragonabile al Neolitico.

Da parte nostra, ci siamo limitati ad affrontare il problema con un test. E se la bestia c'è, spunterà fuori.

Magari vi sentite una formica che non ha mai vissuto un giorno da cicala, o magari credete che, in un mondo di lupi, le unghie manchino soltanto a voi. Alla vista di una scimmietta, sorridete; al solo pensiero di una puzzola, indietreggiate.

Questo test potrebbe invece svelarvi che la bestia dentro di voi è proprio quella che ritenevate più estranea al vostro carattere.

Aiutarvi a « riscoprire il semplice animale in quell'essere complesso che è l'uomo », come scrisse Goethe, è, in questo caso, solo un gioco. Ma fatelo coscienziosamente. Date una sola risposta per ogni domanda e se nessuna delle 5 indicazioni corrisponde perfettamente a ciò che pensate, scegliete quella che vi si avvicina di più. Non barate e non correggete. A maggior ragione, in un test sull' "animalità", è la prima risposta istintiva quella che conta.

E se il debole si sorprenderà a trovarsi un cuore da leone e l'aggressivo si vedrà catalogato tra i più miti dei cagnoni, non prendetevela. Ora che è stata smascherata, la bestia così ben accucciata dentro di voi, potrebbe di tanto in tanto venirvi provvidenzialmente in aiuto.

· L'ESPRESSO · 27 DICEMBRE 1981

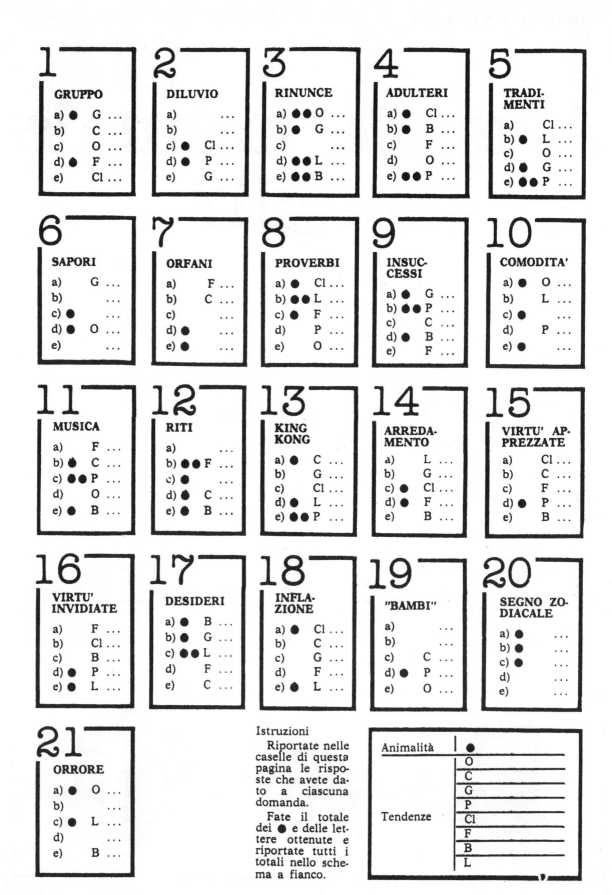

1 GRUPPO
a) ● G ...
b) C ...
c) O ...
d) ● F ...
e) Cl ...

2 DILUVIO
a) ...
b) ...
c) ● Cl ...
d) ● P ...
e) G ...

3 RINUNCE
a) ●● O ...
b) ● G ...
c) ...
d) ●● L ...
e) ●● B ...

4 ADULTERI
a) ● Cl ...
b) ● B ...
c) F ...
d) O ...
e) ●● P ...

5 TRADI-MENTI
a) Cl ...
b) ● L ...
c) O ...
d) ● G ...
e) ●● P ...

6 SAPORI
a) G ...
b) ...
c) ● ...
d) ● O ...
e) ...

7 ORFANI
a) F ...
b) C ...
c) ...
d) ● ...
e) ● ...

8 PROVERBI
a) ● Cl ...
b) ●● L ...
c) ● F ...
d) P ...
e) O ...

9 INSUC-CESSI
a) ● G ...
b) ●● P ...
c) C ...
d) ● B ...
e) F ...

10 COMODITA'
a) ● O ...
b) L ...
c) ● ...
d) P ...
e) ● ...

11 MUSICA
a) F ...
b) ● C ...
c) ●● P ...
d) O ...
e) ● B ...

12 RITI
a) ...
b) ●● F ...
c) ● ...
d) ● C ...
e) ● B ...

13 KING KONG
a) ● C ...
b) G ...
c) Cl ...
d) ● L ...
e) ●● P ...

14 ARREDA-MENTO
a) L ...
b) G ...
c) ● Cl ...
d) ● F ...
e) B ...

15 VIRTU' AP-PREZZATE
a) Cl ...
b) C ...
c) F ...
d) ● P ...
e) B ...

16 VIRTU' INVIDIATE
a) F ...
b) Cl ...
c) B ...
d) ● P ...
e) ● L ...

17 DESIDERI
a) ● B ...
b) ● G ...
c) ●● L ...
d) F ...
e) C ...

18 INFLA-ZIONE
a) ● Cl ...
b) C ...
c) G ...
d) F ...
e) ● L ...

19 "BAMBI"
a) ...
b) ...
c) C ...
d) ● P ...
e) O ...

20 SEGNO ZO-DIACALE
a) ● ...
b) ● ...
c) ● ...
d)
e) ...

21 ORRORE
a) ● O ...
b) ...
c) ● L ...
d) ...
e) B ...

Istruzioni

Riportate nelle caselle di questa pagina le risposte che avete dato a ciascuna domanda.

Fate il totale dei ● e delle lettere ottenute e riportate tutti i totali nello schema a fianco.

Animalità	●
	O
	C
	G
	P
	Cl
Tendenze	F
	B
	L

Animalità

Il numero dei ● vi darà il grado di "animalità" ancora presente in voi: Meno di 5 = Debole; Da 5 a 10 = Media; Da 10 a 15 = Forte; Più di 15 = Eccessiva.

Puzzola o cicala?

Il tipo di bestia che cova in voi, l'animale del quale ripetete inconsapevolmente comportamenti e atteggiamenti (anche quelli resi celebri dalle favole e dai cartoni animati), vi sarà invece indicato dalla frequenza con la quale una singola lettera è comparsa nelle vostre risposte: O = Orso, C = Cagnone, G = Gatto, P = Puzzola, Cl = Cicala, F = Formica, B = Bertuccia, L = Lupo.

Con più di quattro presenze della stessa lettera, la tendenza è accertata e potete trovare nella tabella qui sotto il vostro carattere e i vostri simili illustri. Se avrete totalizzato punteggi uguali ma superiori al quattro in diverse caselle, vorrà dire che più animali si spartiscono equamente la vostra personalità. Nel caso, invece, che non abbiate raggiunto i quattro punti in nessuna casella, saprete di appartenere a una delle famiglie animali più diffuse e discusse: quella dei camaleonti.

Più di 3 O Tendenza Orso	Misantropi, misogini e un po' musoni. Dritti sulle zampe, brontolate meglio. Ma per grattarvi la schiena siete pronti a radere al suolo una foresta.
Più di 3 C Tendenza Cagnone	Con la valigetta del pronto soccorso, correte a salvare chiunque si trovi in difficoltà. Ma non è detto che per questo riceviate un premio.
Più di 3 G Tendenza Gatto	Egoisti e narcisisti. Il movimento vi affascina ma il pericolo vi rende stolidi. E in chi vi aggredisce riuscite a produrre solo ferite superficiali.
Più di 3 P Tendenza Puzzola	La gente vi viene incontro come agli altri. Ma ancora dopo anni non riuscite a capire perché a un metro di distanza cambi strada.
Più di 3 Cl Tendenza Cicala	Irresistibilmente attratti dall'armonia dei vostri suoni, ignorate il tempo che passa e sospettate che il mondo sia stato edificato per compiacervi.
Più di 3 F Tendenza Formica	L'amore cieco per il lavoro non vi fa dubitare che, briciola dopo briciola, riuscirete a costruire le scorte per un mitico futuro.
Più di 3 B Tendenza Bertuccia	Intrappolati da sempre in un inesauribile gioco di specchi, rischiate seriamente di ritrovarvi a fare l'imitazione di voi stessi.
Più di 3 L Tendenza Lupo	Indifferenza, distacco e sicumera. Ma, quando vi avvicinate, denti affilati e sorriso obliquo, è per il colpo di grazia.
Sotto i 3 punti in tutte le lettere.	Non siete di quelli che si amano a prima vista, ma vi salva la certezza che non sarete mai peggiori dell'ambiente circostante.

Qual è la tua nevrosi?

Rispondendo al questionario scoprirete il vostro profilo nevrotico dominante. Potrete scegliere tra: aggressività, depressione, paranoia, megalomania...

Roma. Sentirsi dare del "nevrotico", attribuire a qualcuno una bella nevrosi, non è più da tempo considerato un insulto. Se ne parla, al contrario, con quel po' di condiscendenza bonaria che fa capire trattarsi di peccato veniale, piccola mania che rende più misterioso un carattere, neo enigmatico che contraddistingue le persone di fascino da quelle piatte e monocordi.

Per rendere più attraente una conversazione, più compiaciuta un' autodenigrazione, manca spesso però quel tanto di precisione che potrebbe farci apparire degli "esper-

ti". Si tratterà di depressione o di mania, di ossessione o di fobia? Inutile rivolgersi allo psicoanalista. I più vi ascolteranno in mesto silenzio per svariati anni, e non è detto che una volta decretata la "guarigione" abbiate la soddisfazione di sapere "cosa" eravate. Qualche chance in più con lo psicologo, specie se fresco di studi di una di quelle brillanti fabbriche di diagnostica spicciola che sono le nostre facoltà di psicologia. Successo assicurato, infine, rivolgendosi a una delle innumerevoli rubriche delle televisioni private.

Per togliere pathos a una ricerca e facilitarvi il compito vi presentiamo un test ideato da Walter Lewino e Christine Deymard del "Nouvel Observateur" che, attraverso molte domande innocenti e qualche quesito perverso, vi accompagnerà a scoprire non solo la vostra "nevrosi dominante" e il vostro "tasso nevrotico complessivo", ma anche i caratteri più evidenti del vostro comportamento anomalo.

Aiutarvi a scoprire che tipo di nevrosi possedete è, naturalmente, solo un gioco. Ma fatelo coscienziosamente. Date una sola risposta per ogni domanda e se nessuna delle 6 indicazioni corrisponde perfettamente a ciò che pensate, scegliete quella che vi si avvicina di più. Non barate e non correggete. A maggior ragione, in un test sulla vostra nevrosi nascosta, è la prima risposta istintiva quella che conta. Dopo aver dato le risposte leggete le istruzioni e trovate il vostro "profilo nevrotico".   **S. R.**

ISTRUZIONI

Riportate nelle caselle seguenti le risposte che avete dato alle 25 domande. A ciascuna delle vostre risposte potrà corrispondere sia uno o più simboli (■, ★, ●), sia alcune lettere (A, D, E, I, M, N, P), sia niente del tutto. Fate il totale dei simboli e delle lettere che avete ottenuto in tutte le risposte.

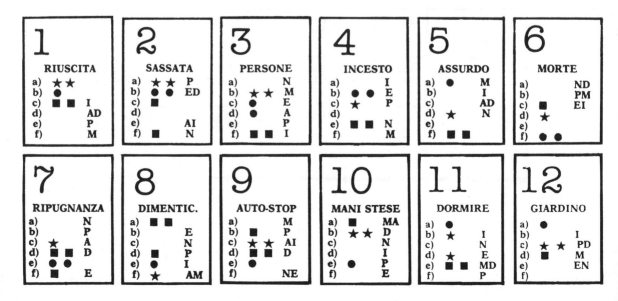

13 SENSIBILE
a)
b) N
c) ★
d) ● ● MD
e) P
f) ■ ■ E

14 UBBIDIENZA
a) ■ ● MD
b) ● ● E
c) P
d)
e) ★ AN
f)

15 UMILIAZIONE
a) ★ NE
b) A
c)
d) ■
e) ★ M
f) ● ● PD

16 SOLITUDINE
a) ★ N
b) ★ P
c)
d)
e) ● ●
f) ■ ■ IA ED

17 DEPUTATO
a) E
b) ■
c) M
d) ● A
e) ★
f)

18 ESCLAMAZIONI
a) ● ● P
b) D
c) ■ N
d) ★ AI
e) M
f) E

19 PROSTITUTA
a) ★ AN
b) P
c) ●
d) ■ ■ EI
e) ● M
f)

20 MALE
a) P
b)
c) ● I
d)
e) ★
f) ■ AD

21 DESIDERI
a) N
b) ★ ★ A
c) ■ ■ D
d) I
e) ● ● EM
f) P

22 DI TANTO...
a) A
b) ★ M
c) ■ ■ I
d)
e) D
f) N

23 RIMPIANTI
a)
b) D
c) ★ AM
d) ■
e) ● PE
f)

24 PARTENZA
a) PI
b) ■ ME
c) ■ ● E
d)
e) ★ ★ N
f) D

25 TRUFFATORI
a) ● D
b) I
c) ■ M
d) A
e) N
f) ★

RISULTATI

TASSO NEVROTICO

Segnate accanto alla voce NEVROSI D'ANGOSCIA il numero dei ■ ottenuti. Accanto alla voce NEVROSI FOBICA il numero delle ★. Accanto alla voce NEVROSI OSSESSIVA il numero dei ● Saprete così qual è la vostra nevrosi dominante. Il vostro TASSO NEVROTICO complessivo sarà dato invece dalla somma dei totali dei tre simboli.

Nevrosi d'angoscia ■ = ...

Nevrosi fobica ★ = ...

Nevrosi ossessiva ● = ...

Tasso nevrotico
■ + ★ + ● = ...

■ + ★ + ●	TASSO NEVROTICO
Meno di 10 Insensibili	Siete una roccia. Per voi la sensibilità è un cruccio da donnette. Ma attenzione! Molto spesso le nevrosi peggiori sono proprio quelle represse.
Da 10 a 15 Solidi	La vita — la vostra e quella degli altri — non vi crea problemi. Non siete davvero un tipo poetico.
Da 16 a 20 Equilibrati	Tutto a posto. Siete proprio nella media: quella che fa le maggioranze silenziose e i popoli senza storia. Siete destinati alla felicità.
Da 21 a 25 Leggermente nevrotici	Niente paura. Oscillate di continuo tra il sogno e la realtà. Quale dei due vincerà? Spesso basta un niente...
Da 26 a 30 Nevrotici	Siete certamente sulla soglia del "divano" di papà Freud. Riflettete prima di rischiare... a meno che non vi ci siate già appollaiati da un pezzo.
Da 31 a 35 Molto nevrotici	Lo sapevate già, non è vero? Ve l'hanno detto e ripetuto. Ma se, per una volta, guardate in faccia i vostri fantasmi...
Più di 35 Pazzi da legare	Purtroppo per voi, hanno abolito da tempo la camicia di forza. Non vi resta che sghignazzare sulla validità dei tests psicologici.

TRATTI NEVROTICI

Segnate accanto alla voce AGGRESSIVI il totale delle lettere A che avete ottenuto nelle 25 risposte. Fate lo stesso con le D (DEPRESSI), ecc., fino alla P (PARANOICI).

La voce che avrà ottenuto più lettere indicherà qual è il vostro tratto nevrotico dominante. Vanno presi in considerazione tutti i tratti nevrotici che ottengono almeno 6 punti.

Aggressivi	A =	....
Depressi	D =	....
Erotomani	E =	....
Infantili	I =	....
Megalomani	M =	....
Narcisisti	N =	....
Paranoici (con mania di persecuzione)	P =	....

Piccolo glossario dei tratti nevrotici

AGGRESSIVITA' E' ben conosciuta, ma può esprimersi sotto mille forme: ironia, volgarità, arrivismo, disprezzo.

DEPRESSIONE La più diffusa. Dominio dell'inerzia sull'attività, dell'umore sulla realtà.

EROTOMANIA Ninfomania per le donne, satiriasi per gli uomini, dongiovannismo per entrambi. Niente di inquietante.

INFANTILISMO Altrimenti detto regressione, immaturità, puerilità. Si combina facilmente con tutti gli altri tratti nevrotici.

MEGALOMANIA Il felice matrimonio tra la presunzione e la mania di grandezza. Non per questo garanzia di successo.

NARCISISMO Malattia del secolo. A forza di coccolare il proprio "io" e valorizzare il proprio corpo, si perde il senso della misura.

PARANOIA Piacere del fallimento, ripiegamento su se stessi, paura dell'"altro". La forma più subdola di modestia o di appagamento.

ATTENZIONE: chi non possiede alcun tratto nevrotico dominante (tutti sotto i 6 punti) è più da compiangere che da invidiare.

L'Espresso - 22 agosto 1982

E tu, che fantasma diventerai?

Rispondete alle domande del test e scoprirete che tipo di spettro siete destinati a diventare: se saggio o burlone, diabolico o fanfarone, perturbatore o...

Ciascuno di noi è destinato a diventare uno spettro, assicurano i nuovi competenti e le vecchie leggende. Ma non crediate che il trapasso da uno stato all'altro sia semplice e automatico.

A parte la diversa consistenza e materialità, a definire le nostre future caratteristiche di fantasma non saranno tanto virtù e difetti terreni, quanto il grado di cultura e di libidine, l'età mentale o il senso dell'umorismo.

Per sapere che tipo di fantasma sarete, rispondete coscienziosamente alle 25 domande che seguono. Date una sola risposta per ogni domanda, e se nessuna delle 5 indicazioni corrisponde perfettamente a ciò che pensate, scegliete quella che vi si avvicina di più. Non riflettete troppo e non barate.

Se i risultati non corrisponderanno alle vostre aspettative o al futuro eterno che vi state preparando, non prendetevela. Avete ancora molto tempo per addestrarvi a diventare un fantasma accettabile.

ISTRUZIONI

Riportate nelle caselle che seguono le risposte che avete dato alle 25 domande. A ciascuna delle vostre risposte potrà corrispondere sia una lettera (F, G, I, L, M, S, T), sia nulla. Sommate le lettere che avete ottenuto in tutte le risposte e riportatele nel riquadro in fondo alla pagina.

1 Disegni
a) L
b) I
c) G
d) T
e) M

2 Scuola
a) F
b) M
c) I
d) L
e) T

3 Cameriere
a) T
b)
c) M
d) F
e) P

4 Notte
a) S
b)
c) L
d) G
e)

5 Carnevale
a) I
b) F
c) M
d) S
e)

6 Favole
a) M
b)
c) F
d) P
e) I.

7 Odore
a) M
b) P
c)
d) S
e)

8 Disturbi
a) F
b) L
c) S
d) I
e) P

9 Bacio
a) L
b) I
c) G
d) T
e) F

10 Vacanza
a) F
b)
c) P
d) T
e)

11 Parigi
a) T
b) S
c) L
d) G
e) P

12 Inferno
a) G
b)
c)
d) M
e)

13 Paradiso
a) P
b) S
c) L
d) M
e) I

14 Film
a) L
b) P
c)
d) F
e) M

15 Filtro
a)
b) I
c) S
d)
e) L

16 Solitudine
a) I
b) M
c) F
d) T
e) G

17 Sensi
a) P
b) I
c) S
d) L
e) M

18 Omero
a) L
b) I F
c) F
d) G
e)

19 Lapsus
a) M
b) F
c) S
d) T
e)

20 Raptus
a) M
b) I
c) G
d) F
e) S

21 Atmosferico
a) L
b) P
c) T
d) I
e) M

22 Epigrafe
a) S
b) T
c)
d) P
e) G

23 Peccato
a) L
b) I
c) S
d) M
e) T

24 Progetti
a)
b)
c) P
d) G
e) F

25 Ricordo
a)
b) M
c) T
d)
e) F

L................
M................
F................
P................
G................
T................
S................
I................

DIABOLICO, BURLONE O TECNOLOGICO?

Il totale di ciascuna delle 7 lettere indica il tipo di fantasma che siete destinati a diventare. Vanno prese in considerazione le voci che ottengono più di 4 punti. Se ottenete un punteggio superiore a 4 in più di una voce, il vostro destino di spettro è ancora in formazione.

Più di 4 L **Fantasmi diabolici** detti anche Larve	Sono inclini al male e ne combinano di tutti i colori. Sono astuti, perfidi, ipocriti, sporcaccioni, danno cattivi consigli e usano un linguaggio triviale e scurrile. Usano la loro indubbia intelligenza per seminare zizzania. Privi di qualsiasi morale, si divertono ad entrare nei letti e a sostituirsi al coniuge, generando equivoci e conflitti. Da vivi erano morbosamente legati al denaro, per cui, adesso, prediligono stare vicino ai tesori, non consentendo a nessuno, neppure al legittimo proprietario, di avvicinarsi. Si materializzano in modo da sembrare fatti di carne ed ossa e trarre in inganno.
Più di 4 M **Fantasmi burloni** detti anche Munacielli	Sono ignoranti, capricciosi, testardi, dispettosi e beffardi, anche se dotati di una certa arguzia. Si intromettono in tutto e si divertono a nascondere gli oggetti e imbrogliare chi li sta a sentire. Qualche volta sono anche spiritosi e divertenti. Il loro scherzo preferito è quello di scandalizzare le signore di buona famiglia con ogni genere di facezie. Molto golosi, stropicciano e smozzicano i dolci. Preferiscono le case affollate e rumorose e si presentano solo a mezzo busto, con braccia appositamente attaccate storte.
Più di 4 F **Fantasmi fanfaroni** detti anche Pseudosapienti	Sembrano dotati di grandi conoscenze e parlano con una certa gravità. Dispensatori di consigli e di regole di vita, si considerano esperti in molti campi. Non sono cattivi, ma non bisogna assolutamente dar loro credito. Non ne indovinano una e, nonostante le apparenze, sono dei gran smargiassi. Vanitosi ma un po' pigri, sembrano attivarsi solo in presenza di una bella ragazza. Non arrivano all'oscenità, ma non disdegnano qualche lieve pizzicotto. Molto belli a vedersi, vestono in modo lezioso e non hanno alcuna consistenza al tatto. Per questo preferiscono apparire in sogno.
Più di 4 P **Fantasmi perturbatori** detti anche Poltergeist	Molto legati alla materia e alquanto violenti, sono soliti produrre una grande quantità di rumori, colpi, movimenti, spostamenti di oggetti. e così via. Non lo fanno per cattiveria, ma non possono farne a meno. La loro specialità sono i campanelli che suonano a vuoto, le luci che si accendono e spengono, i piatti che volano per la casa. Sono infatti i maggiori responsabili delle infestazioni casalinghe. Dimostrano un attaccamento non corrisposto per le casalinghe e i bambini. Non hanno forma e si limitano a farsi sentire e notare. In vita hanno dovuto sopportare un'educazione eccessivamente permissiva.
Più di 4 G **Fantasmi guardiani** detti anche Tesorieri	Predomina in essi la bontà e la generosità e godono nel prestare servizio agli uomini, proteggendo loro e i loro averi. Non molto arguti e un po' ignoranti, non fanno che rimpiangere le cose del mondo, dove peraltro non hanno mai combinato niente di eccezionale. Prediligono le vecchie case e i luoghi dove possono custodire per il proprietario piccoli e grandi tesori. Oggi si affollano nelle banche, soprattutto nei pressi delle cassette di sicurezza. Sono abbastanza attivi, ma non hanno una forma precisa. In genere appaiono come luci accecanti. Tra di loro si rintracciano molti sergenti di fanteria, portieri di calcio e sindacalisti.
Più di 4 T **Fantasmi tecnologici** detti anche Pragmatici	Ciò che li contraddistingue è l'amore per la tecnologia e per tutto ciò che può essere o sembrare erudito. Frequentano i vecchi laboratori, le biblioteche, i musei (famoso è lo "Scazzapurrell" del museo di Benevento), le case di intellettuali e di uomini di scienza, dove cercano di rendersi utili. Grandi camminatori, attraversano i muri con una semplicità sconvolgente. Sono molto curiosi, ma anche molto timidi, quindi difficilmente si fanno notare. Se scoperti e disturbati, reagiscono però in malo modo, anche con parolacce. Ma si pentono subito dopo.
Più di 4 S **Fantasma saggio** detto anche Benevolo	La loro specialità è dare i numeri al lotto, attività alla quale si dedicano con entusiasmo. Sono generosi, intelligenti e preparati. Non hanno cognizioni illimitate, ma sono tuttavia dotati di una capacità di giudizio che fornisce loro una sana opinione degli uomini e delle cose. Amano molto giocare con i bambini. Resi celebri da Hollywood (soprattutto da Frank Capra), spesso assumono le sembianze di simpatici vecchietti. Per niente attaccati al denaro, sono però un po' golosi. Porta molta fortuna incontrarli, anche perché stanno diventando molto rari.
Più di 4 I **Fantasma illuminato** detto anche Angelo del focolare	Riuniscono in loro tutte le qualità che un fantasma può avere. Sono saggi, buoni, caritatevoli, onesti, pazienti, modesti. Il loro linguaggio è tutta benevolenza, costantemente dignitoso ed elevato. Assistere gli uomini nei loro affanni, eccitarli a operar bene e a espiare le colpe, è per essi la più dolce delle occupazioni. Quando si materializzano, con sembianze delicate ed eteree, è solo per compiere opere buone. Si presentano solo dove si ha bisogno di loro e sono capaci di grandi miracoli. All'occorrenza, e in mancanza di personale, sono promossi Angeli Custodi.
Meno di 4 punti **in tutte le lettere**	Non a tutti è concesso di trasformarsi in spettri. Per conservare la propria individualità dopo la morte, bisognava pur possederne una. Né malvagi, né irridenti, né buoni, né saggi, il mondo dei fantasmi non sa che farsene di voi. A meno che, nel tempo che vi resta, non abbracciate un sia pur criticabile indirizzo di vita, siete destinati a rimanere nel limbo degli irrisoluti.

a cura di STEFANIA ROSSINI

L'Espresso - 10 febbraio 1985

Se fosse...

In queste settimane di vacanze, quante volte avrete giocato a qualche variazione del nostro "Ritratto cinese", chiamato più familiarmente "Se fosse"? Ricordate le regole? Bisogna cercare di scoprire il nome di un personaggio, chiedendo: "Se costui fosse un fiore, che fiore sarebbe? Se fosse un libro, che libro sarebbe?", e così via, finché non si avranno elementi sufficienti per indovinare.

In questo scorcio di fine estate vi proponiamo un ultimo, famosissimo, personaggio da rintracciare. Abbiamo ancora chiesto a 14 esperti in diversi campi e discipline di indicarci l'analogia più calzante per il protagonista di turno del nostro gioco. Oltre che indovinare, potreste così divertirvi a scoprire il loro implicito giudizio verso il nostro mister X. La soluzione è

SE FOSSE	SAREBBE	HA RISPOSTO
Un quadro	"Cosimo I dei Medici" del Pontormo	Achille Bonito Oliva, critico d'arte
Un mestiere	L'indossatore	Luigi Pintor, giornalista
Un reato	Usurpazione di titolo professionale	Alberto Dall'Ora, avvocato
Un programma televisivo	Mixerstar	Carlo Sartori, esperto di mass-media
Una virtù	La preveggenza	Baget Bozzo, parlamentare europeo
Un romanzo	I Buddenbrook	Alberto Abruzzese, sociologo
Un personaggio a fumetti	Mandrake	Giorgio Forattini, disegnatore satirico
Un piatto cucinato	Finanziera piemontese con creste e rognoni di gallo	Gault & Millau
Un vestito	Una tuta con bottoni di Bulgari	Renato Balestra, stilista
Un monumento	Il grattacielo del Daily News a New York	Bruno Zevi, storico dell'architettura
Un fiore	Malva	Gilberto Oneto, architetto paesaggista
Una materia scolastica	Educazione all'immagine	Tullio De Mauro, linguista
Un personaggio storico	Lorenzo il Magnifico	Giovanni Sabbatucci, storico
Un'automobile	Autobianchi Y 10	Giorgio Giuggiaro, designer

L'Espresso, 1 settembre 1985

... e ora giocate voi allo stesso modo.

RECITARE PER PARLARE

Mille realtà per i tuoi sogni.

Marocco, tanti Paesi in uno.

Dalle sontuose città imperiali con la loro architettura moresca al vasto altopiano dei laghi, dalle caratteristiche viuzze delle casbah alle magnifiche foreste di cedri, dalle silenziose oasi ai mille vivacissimi mercatini, Marocco ti riserva infinite sorprese.

Senza dimenticare le stupende spiagge dove puoi goderti anche in inverno un mare meraviglioso e un sole che splende dodici mesi l'anno.

Marocco quindi, per trascorrere vacanze indimenticabili che le secolari tradizioni di ospitalità di questo Paese renderanno ancora più belle.

Testimoni di queste tradizioni di ospitalità sono anche gli alberghi impareggiabili a prezzi davvero convenienti e gli ottimi ristoranti di cucina locale e internazionale.

Al loro elevatissimo livello di confort si aggiunge l'efficienza delle strade e dei trasporti interni che rendono così facili gli spostamenti in Marocco.

Ed è altrettanto facile raggiungere il Marocco dall'Italia: tutte queste realtà ti aspettano a meno di tre ore di volo con Royal Air Maroc o Alitalia.

Tutto il resto è confort.

V
A
C
A
N
Z
E

Bellezza e relax a Salsomaggiore

L'imponente facciata del monumentale stabilimento delle Terme Berzieri

In Marocco l'Europa è vicina.

Recitare per parlare

Matilde Rinaldi   Età 49

Vuoi andare in Marocco riducendo al massimo gli spostamenti aerei. Pensi che autobus e treno sia il modo migliore di muoversi, perché così si possono vedere posti e gente diversa durante il tragitto. Non hai mai preso l'aereo, ma, secondo te, volare è troppo pericoloso (c'è stato un terribile incidente proprio recentemente). Inoltre pensi che andare in aereo sia troppo caro se ci si sposta con tutta la famiglia. L'idea di tua figlia Silvia di andare in nave non ti dispiace del tutto, ma temi che il viaggio sia troppo lungo e che il mare possa essere agitato. Sai che tua suocera preferisce passare delle vacanze tranquille e pensi che vacanze separate da lei siano un'ottima idea per lei e per il resto della famiglia.

Guido Rinaldi   Età 52

Vuoi andare in Marocco in aereo. È caro, ma è il modo più rapido per arrivarci e vi permetterebbe di avere un soggiorno più lungo. Non sei d'accordo con tua moglie, Matilde, che sostiene che l'aereo è pericoloso. (Non ha mai volato). Per te, è uno dei mezzi più sicuri. Tua figlia Silvia vuole andare in nave, ma pensi che così il viaggio finisca per essere lento e noioso. Tua madre dice che è meglio restare a casa, ma sai che finirà per venire con voi se saprete convincerla con le buone maniere.

Silvia Rinaldi   Età 17

Vuoi andare in Marocco in nave. Pensi che sia più romantico e piacevole di qualunque altra cosa. Hai già viaggiato in aereo un'altra volta, ma hai trovato l'esperienza poco divertente; per di più l'aereo ti mette paura. Approvi l'idea di tua madre di limitare al massimo la lunghezza del volo e di ricorrere il più possibile a autobus e treno. Però, forse viaggiare per 24 ore al giorno potrebbe essere faticoso e stancante. Non t'importa gran che se tua nonna viene con voi, anzi preferisci di no, perché si lamenta sempre di tutto.

Paolo Rinaldi   Età 15

Vuoi andare in Marocco in aereo come tuo padre. È il mezzo più veloce e entusiasmante. Tutta la fifa di tua madre e tua sorella per l'aereo e i suoi pericoli sono delle stupidaggini. (Ci sono meno incidenti in aria che per le strade). Peggio, è molto più pericoloso andare in ferrovia o in autostrada.
L'idea di tua sorella Silvia di andare in nave, poi, ti sembra del tutto stupida. Le navi sono troppo lente e noiose. Ti piacerebbe se la nonna venisse con voi, nonostante lei dica che preferisce andare a fare le cure termali.

Francesco Rinaldi   Età 18

Non vuoi andare con la famiglia. Preferisci una vacanza per conto tuo. Ti opponi quindi a qualsiasi piano comune e sei contrario sia all'idea di andare in nave che a quella di andare in aereo. Vorresti andare in Grecia o anche in Marocco, ma con i tuoi amici, in autostop o, una volta lì, girare per i vari posti con mezzi di fortuna, magari fermandosi a pernottare sulla spiaggia. Secondo te, la nonna potrebbe organizzarsi indipendentemente andando a fare le sue cure termali a Salsomaggiore, eliminando così possibili scontri familiari.

Bianca Rinaldi   Età 75

Vivi con tuo figlio e la sua famiglia. Ti senti troppo vecchia per affrontare un viaggio avventuroso all'estero. (Però non ci sei mai stata). Ti ricordi i primi aeroplani e pensi che anche oggi gli aerei siano molto pericolosi, rumorosi, pieni di dirottatori. Secondo te, i tuoi nipoti sono tutti molto giovani e comunque non abbastanza adulti per esprimere la loro opinione. Invece dovrebbero ascoltare i loro genitori. Vuoi andare a passare una vacanza di salute e di relax a Salsomaggiore, una bella stazione termale sull'Appennino. C'è una bella pensione tranquilla e a buon mercato; non ci sono stranieri o cibi esotici o adolescenti irrequieti. Che tutta la famiglia vada all'estero è una gran spesa. Non vuoi restare a casa da sola, perché sei troppo anziana e sei più tranquilla se qualcuno ti sta intorno.

Lucilla Renzi (sorella di Matilde Renzi in Rinaldi)   Età 43

Nubile e pittrice, sei ospite di tua sorella per qualche mese e hai una gran voglia di divertirti. Il Marocco è così pieno di storia, di romanticismo: sei entusiasta. L'idea della nave, della crociera ti affascina... tanti begli ufficiali! Non vorresti però che la suocera di tua sorella vi accompagnasse perché ti criticherebbe, dato che tu sei così esuberante, giovanile e anticonformista.

Riccardo Lugli (amico di Francesco Rinaldi)   Età 18

Con Francesco hai già fatto piani per partire insieme e hai anche già comprato il necessario per un campeggio di fortuna. Sai di altri ragazzi che hanno fatto questo viaggio l'anno scorso e si sono divertiti un mondo. Racconta qualche episodio divertente. Prendi in giro Francesco che, se va con la famiglia, dovrà fare da cavaliere alla zia pazza.

Patrizia Sella (ragazza di Francesco Rinaldi)   Età 17

Vuoi andare dovunque decidano di andare Francesco e Riccardo e vorresti che anche Silvia si unisse al gruppo, così sarebbe più divertente. Quindi è lei che cerchi di convincere che andare con gli amici è meglio che andare con la famiglia e con la nonna in particolare. Spiegale quante belle cose si possono fare senza i genitori.

Capolavori con la valigia

La polemica suscitata dal dilemma se mandare o no i Bronzi di Riace negli Stati Uniti per le Olimpiadi di Los Angeles ha riacceso un vecchio dibattito sull'opportunità di far viaggiare le opere d'arte. E' tornato così in primo piano un fenomeno molto diffuso: quello, appunto, dei capolavori itineranti da una città all'altra, da un Paese all'altro, spesso da un continente all'altro con tutti i problemi di sicurezza, di politica culturale, di reciprocità che la cosa comporta

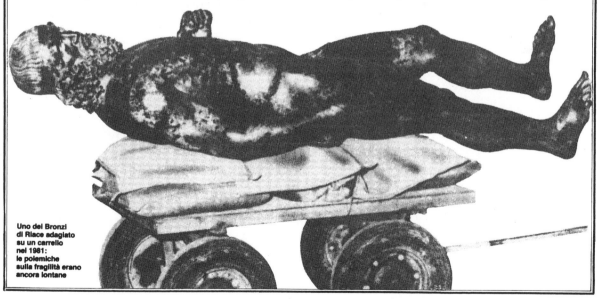

Uno dei Bronzi di Riace adagiato su un carrello nel 1981: le polemiche sulla fragilità erano ancora lontane

LETTURA PRELIMINARE: pagg. 136-139

Il Presidente dei Giochi Olimpici ha richiesto alle autorità italiane che in occasione delle Olimpiadi fossero mandate in America come simbolo dei giochi due statue di bronzo raffiguranti due guerrieri greci, forse le uniche esistenti del periodo post-Fidia.

Attualmente i capolavori sono sotto speciale sorveglianza e custodia in Calabria, cioè nella regione dove sono state fortunosamente ritrovate da un subacqueo.

La richiesta ha suscitato interminabili discussioni, vibrate proteste e accese polemiche, nel mondo culturale, politico, sportivo, creando opposti schieramenti. Le persone favorevoli alla partenza dei guerrieri sostengono che il viaggio dei capolavori sia un'occasione per l'Italia di rendere omaggio al diritto di tutto il mondo di ammirarli e nel contempo serva a promuovere una nuova immagine per la Calabria, «patria d'arte». Molti, invece, sono contrari pensando ai gravi rischi del trasferimento e non vedono nei giochi olimpici un'occasione culturale, ecc.

Ecco per esempio, due lettere inviate ad un quotidiano nazionale:

LETTERE AL CORRIERE

Settimana corta e scuole

Con il rispetto dovuto a quell'autentico maestro di vita che è Cesare Merzagora, vorrei esprimere qualche riserva sul suo suggerimento di adottare il sabato inglese nelle scuole italiane. Il senatore Merzagora non tiene presenti due fatti: primo, non è affatto vero che padri e madri hanno tutti il sabato libero. Per milioni di lavoratori ancora non è così, e naturalmente l'avere liberi i ragazzi il sabato costituirebbe una complicazione di più e per non poche lavoratrici madri la necessità forse di disertare il lavoro. Secondo (e più grave), la scuola italiana ha già il calendario più breve di tutta l'Europa, Grecia e Spagna incluse: accorciarlo ancora vorrebbe dire recare oggettivamente un colpo ulteriore a un degrado e a un disamore che è sotto gli occhi di tutti. Non dimentichiamo che i Paesi con la settimana corta tengono i ragazzi a scuola anche il pomeriggio. Perciò, per una volta

almeno, la senatrice Falcucci farebbe benissimo a tener duro e a conservare senza rimpianti un calendario scolastico che appare il più opportuno e razionale nelle condizioni attuali della società italiana.

Rodolfo Tabacchi (Roma)

No alle trasferte dei capolavori

Plaudo *toto corde* alla vibrata protesta di Cesare Brandi («Corriere» dell'8 gennaio) contro il nuovo programma di trasporto all'estero di capolavori d'arte. Come modesto appoggio alle argomentazioni addotte contro tale pernicioso andazzo da esperti e artisti vorrei dire a coloro che da tempo promuovono, approvano o sponsorizzano (non solo per motivi culturali) tali iniziative che se domani precipitasse un aereo recante loro e il sottoscritto, alcuni nostri intimi ci piangerebbero qualche giorno, ma il mondo andrebbe avanti come prima e, forse, meglio di prima, mentre se, in una simile occasione,

andasse distrutta un'opera di Michelangelo o di Raffaello l'umanità intera ne piangerebbe eternamente l'immensa perdita, la quale costituirebbe un indelebile cocente marchio d'infamia per l'Italia. I politici considerino che non stiamo parlando di cose materiali di esclusiva proprietà dell'Italia, ma di valori artistici inestimabili che appartengono appunto a tutta l'umanità.

Onofrio Giovenco (Bogliasco-Genova)

I Bronzi di Riace sono di tutti

I Bronzi di Riace sono un'opera d'arte e, come tutte le opere d'arte, non sono patrimonio di una sola nazione, ma dell'intera umanità. La corrente d'opinione che si oppone al loro trasferimento temporaneo negli Stati Uniti è quindi, per me, incomprensibile.

Arturo Fassi (Milano)

Dottorati di Ricerca: non ci sarà bisogno di finanziamenti pubblici perché il Laboratorio di Alchimia sperimentale produrrà tutto l'oro necessario per pagare i docenti e i servizi. Purtroppo titoli siffatti mancano nell'università sin dalla fine del Medioevo e nessuna delle recenti riforme ha provveduto in merito, anche per colpa di sedicenti scienziati quali Galileo, Lavoisier, Darwin e Fermi (meritatamente colpiti da malocchio). Se la mia modesta proposta fosse recepita dai politici e diventasse legge, allora i giovani conseguirebbero un titolo assai richiesto sulla piazza, ritorneremmo sulla linea maestra di una tradizione che aveva dimenticato Leonardo, perseguitato Galileo e convinto Fermi alla partenza, forniremmo degli esperti per il servizio SIP di oroscopo telefonico (02-6205) e, in futuro, potremmo disporre di un oroscopista personale, oltre a un occultista di guardia per i giorni festivi.

Flavio Bonati (Camerino)

La RAI TV ha organizzato un dibattito invitando personalità del mondo politico e culturale, tecnici e persone interessate al problema perché esprimano le loro considerazioni.

Antonio Grilli, presidente del comitato tecnico

Sei contrario alla partenza dei guerrieri. Secondo te, ci sono gravi rischi nel trasferimento. La partenza è inopportuna e l'occasione culturale non è giustificata. Seppure la sicurezza fosse assoluta, i guerrieri (e non atleti) non devono muoversi: un'opera d'arte non può essere degradata a simbolo, emblema, feticcio di una manifestazione sportiva estranea alla cultura.

John Smith, presidente dei Giochi Olimpici

Le Olimpiadi sono un'occasione culturale eccezionale. Ci sarà un numero elevatissimo di spettatori. Le statue saranno il simbolo della unità mondiale. Durante il dibattito, tu inviti le personalità politiche e intellettuali a seguire dei corsi sulle tecniche di trasporto, considerato che l'unica riserva che hanno espresso è quella relativa al trasferimento materiale dei due capolavori.

Paolo Caverni, assessore alla cultura della regione calabra

Sei favorevole. I due guerrieri faranno conoscere la Calabria nel mondo e porteranno altri turisti. Promuoveranno un'immagine culturale della regione che non è solo posto di emigrazione o di corruzione. L'allarme sui rischi del trasporto non ci fu quando si trasferirono le statue da Firenze (dove erano state restaurate) a Roma e Reggio con i relativi cambiamenti climatici. Le fotografie le mostrano tranquillamente legate con corde, caricate e trasportate senza tanti drammi.

Lia Lanzi, direttrice del museo di Reggio

Sei contraria e polemica. Il simbolo delle Olimpiadi potrebbe essere un'altra celebre statua proveniente sempre dalla Magna Grecia che si trova già in America. Fai notare che c'è una legge (n. 328 del 2/5/1950) che disciplina l'esposizione di opere d'arte all'estero e che indica quali possono essere inviate fuori del territorio nazionale e quali no. Tra queste ci sono quelle di grandi dimensioni, come i guerrieri.

Stefano Lago, ministro del Turismo e dello Spettacolo

Sei favorevole. I Bronzi farebbero parte di una grandissima esposizione intitolata «L'Italia dai Bronzi alla Ferrari», e spiegherebbe tremila anni di storia della nostra civiltà che va dagli Etruschi ai Robot. I Bronzi sarebbero anche in ottima compagnia: dalla Francia saranno mandati 45 capolavori e nessun francese ha avuto nulla da ridire. È tempo che anche gli italiani siano meno provinciali.

Carlo Beni, cittadino che protesta

Sei polemico e parli con sarcasmo. Approfitti della polemica per sottolineare l'incompetenza dei responsabili artistici. Proponi di mandare all'estero anche un ricco assortimento di brutti monumenti (altare della patria, monumenti ai caduti, restauri malfatti, ecc.) perché nel mondo si conosca il bello e il brutto.

Massimo Pallotti, professore di archeologia

Sei moderatamente favorevole. Facciamo un atto di cortesia, mandiamo le statue anche se rischioso, ma chiediamo in contropartita che, prima, vengano restituite le opere ora esposte in musei e raccolte americani, certamente comprate da scavatori clandestini di tombe etrusche.

Carlo Francia, restauratore

Sei moderatamente favorevole. I rischi, a tuo parere, sono sormontabili: tutto dipende da come si fanno le cose. Se uno va in montagna a sciare per la prima volta e sceglie il percorso più difficile e ripido, quasi certamente si rompe una gamba. Se vengono imballati adeguatamente, se ci sono garanzie su come e dove saranno esposti, e se ci sono mezzi finanziari per fare tutto questo, si possono mandare i guerrieri senza troppi rischi.

Mauro Calvi, studioso d'arte

Sei ferocemente contrario. Perché essere gentili? Opere italiane tenute in raccolte americane non sono mai state concesse alle mostre italiane.
È da sprovveduti l'idea che i Bronzi facciano pubblicità alla regione che li ospita. I turisti non si muovono per tornare a vedere il già visto. Le opere d'arte vanno viste sul posto.

Marcello Sgarbi, giornalista

Sei favorevole. Bisogna essere superiori a pignolerie contrattuali, ricatti e giochi diplomatici. Non si deve né essere avari né micragnosi. Facciamo il bel gesto di mandare qualcosa di prezioso al mondo. Ma non si mandino i Bronzi alla mostra del Made in Italy, perché non c'entrano niente (non sono italiani). Sarebbe una mancanza di gusto e di senso storico.

Onofrio Giovenco, privato cittadino

Sei contrario. Hai spiegato il perché nella tua lettera al Corriere.
L'Italia avrebbe un marchio d'infamia se si perdessero le statue che appartengono al mondo. Si facciano girare delle copie, adesso che i progressi tecnici in merito sono così avanzati.

Carlo Mazzei, spedizioniere

Sei favorevole. Spediresti i Bronzi senza problemi. Ci sono sistemi antiurto, antiscosse che garantiscono una sicurezza totale. Si possono usare precauzioni anche esagerate per tranquillizzare l'opinione pubblica. Useresti un aereo di linea con pilota abituato alla rotta. Un viaggio di poche ore in perfetta segretezza. La nave darebbe maggiori sicurezze, ma ci vorrebbe troppo tempo e tutti saprebbero del viaggio. Pazzi ce ne sono tanti in giro.

Costruiamo un'autostrada?

È stata presentata la proposta di costruire una nuova autostrada per collegare la città di Borgovecchio con quella di Portonovo.

Come si può vedere dal progetto, la strada passerebbe proprio attraverso il centro di Belpiano, ma potrebbe deviare totalmente il traffico dall'antica città di Belforte, famoso centro storico.

L'assetto geografico attorno a Belpiano rende ogni altro tracciato molto più costoso e complicato a causa della presenza di alte colline e corsi d'acqua nella zona. Il progetto ha suscitato molte discussioni e notevoli reazioni da parte dell'opinione pubblica.

Per discutere il problema, il canale della televisione locale ha invitato in studio diverse persone a prendere parte a una trasmissione in diretta.

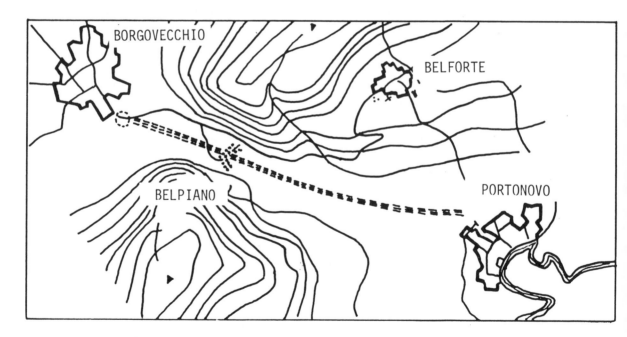

Persone del pubblico

Fate parte del pubblico presente in studio, venite da Belpiano o da Belforte e assumete la parte che più vi convince. Siete liberi di intervenire nella discussione e di domandare spiegazioni agli ospiti o ad altri partecipanti.

Ing. Cervellati

Sei il progettista della strada. Devi dimostrare l'importanza del progetto (la necessità di un collegamento diretto tra la città e il mare). Devi anche illustrare agli abitanti che saranno prese misure di sicurezza (lo spartitraffico centrale, ponti, sottopassaggi, attraversamenti...). È ovvio che sei favorevole al progetto, ma al tempo stesso condividi le apprensioni degli abitanti. Devi spiegare che un percorso alternativo è impossibile a causa dell'alto costo della costruzione di ponti e gallerie.

Sig. Marazzi

Sei il proprietario di una grossa azienda di trasporti dotata di un numeroso gruppo di camion e autorimorchi che viaggiano regolarmente tra Borgovecchio e Portonovo. Sei un uomo d'affari tutto d'un pezzo, intransigente, e non ammetti che la gente si intrometta nei tuoi piani. Il tuo motto è «Il tempo è denaro». Riferisci di un grave incidente di cui è stato vittima uno dei tuoi autisti perché le strade di Belforte sono troppo strette e pericolose. Devi essere pronto a presentare anche statistiche per dimostrare quanto tempo e quanti soldi si potrebbero risparmiare con la costruzione della nuova strada. Argomento convincente è il dire agli abitanti che il costo dei prodotti freschi al mercato e nei negozi del paese potrebbe subire un grosso calo.

Sig. Goldoni

Sei un camionista che lavora in proprio operando tra le quattro località per coprire le necessità di trasporto di merci e prodotti alimentari. Fai questo lavoro da anni e tutti ti conoscono. Finora il tuo mestiere è stato faticoso, ma piacevole: guidare è divertente, fermarsi nei vari posti, trattorie, ecc. è stimolante. Adesso ti senti minacciato dalla autostrada: la sua costruzione ti obbligherebbe a cambiare vita per competere con i tuoi concorrenti, il lavoro diventerà un'ossessione. Non sei più giovane per cambiare le tue abitudini.

Prof. Piana

Sei un archeologo che abita e lavora a Belforte. Devi portare esempi di vecchi palazzi che sono in pericolo di rovina o decadimento a causa del traffico pesante. Quei grossi autotreni che devono attraversare il centro storico sono un rischio per i turisti in visita e per i ricercatori di Archeologia o dell'Accademia di Belle Arti, che devono studiare i monumenti sia all'interno che all'esterno.

Sig.ra Lazzé

Sei una vedova di circa 60 anni che abita da sola a Belpiano in un villino piccolo e comodo. Se la strada sarà costruita secondo il progetto attuale, il villino verrebbe abbattuto. Il Comune ti risarcirebbe con un appartamento al quinto piano di un condominio in un quartiere a una ventina di chilometri da dove abiti ora. Questo vorrebbe dire molti cambiamenti dolorosi per te: lasciare la casa dove hai passato quasi tutta la tua vita, non avere più nemmeno un pezzetto di giardino, abbandonare i tuoi amici del vicinato e essere costretta a vivere senza animali. Sei un po' nervosa per il fatto di essere ripresa dalla televisione, ma sai far sentire la tua voce.

Sig.ra Sansoni

Appartieni alla Società di Tutela dell'Ambiente Naturale, che protegge i centri storici. Ti opponi al piano per questioni di principio. Esprimi vivace opposizione ai cambiamenti che si possono verificare a Belpiano se la strada passerà per il paese (il paese diviso in due, pericolo per i bambini, rumore, inquinamento, ecc.). Presenti diversi tipi di persone che vivono in questo paese.

... e la nonna?

I Rossi abitano in un appartamento di tre camere in una grande città. Pietro e Lucia hanno due figli adolescenti e da due anni vive con loro la madre di lei, Alice, di 80 anni, che ha bisogno di cure e di aiuto per vestirsi e mangiare dal momento che è malata. Ha ancora la mente lucida e si sente molto frustrata di non poter badare a se stessa, e di non poter avere una vita indipendente. Non esce molto e le piace ricevere visite a casa, perché le piace molto fare quattro chiacchiere e stare in compagnia.

Questo comporta molto lavoro per Lucia che manda avanti la casa e bada personalmente alla madre. Adesso, poi, il problema è più grave perché Lucia ha avuto l'offerta di un impiego che la terrebbe fuori di casa tutto il giorno.

I ragazzi sono stufi della situazione perché non si sentono liberi di invitare i loro amici, la nonna è sempre in salotto a guardare la tele o a chiacchierare con chi è venuto a trovarla. Non le piace il rumore e così i ragazzi non possono ascoltare i dischi. Poi vorrebbero avere ognuno la propria camera.

Prima Parte

Pietro (anni 47)

Sei stanco di vivere con tua suocera. Non puoi quasi mai uscire con tua moglie perché o lei è stanca o deve badare alla madre. Esci spesso da solo per andare al bar, da amici o al cinema. Ma ti piacerebbe tornare ad uscire con tua moglie, come facevate una volta. Pensi che tua moglie debba smettere di pensare tanto a sua madre e godersi un po' più la vita. Per questo motivo sei anche contrario alla prospettiva di un lavoro a tempo pieno per lei. Secondo te, il tuo stipendio è già sufficiente a mantenere una vita decorosa.

Lucia (anni 46)

Lavori moltissimo badando a tua madre e alla famiglia. Pensi che il resto della famiglia non ti aiuti abbastanza, soprattutto nelle faccende domestiche. Questo rende molto pesante l'andamento di casa e il prendersi cura di tua madre. Una volta uscivi molto spesso con tuo marito, ma adesso ti pare che questo non sia più possibile perché le cose sono cambiate. I ragazzi sembrano scontenti di avere la nonna per casa, ma tu le sei molto attaccata. Hai l'impressione che nessun altro ti possa sostituire in questo dovere filiale. Sei tentata da un'offerta di lavoro che ti terrebbe fuori di casa la maggior parte del tempo, permettendoti di guadagnare un buono stipendio. Con quello forse potreste trasferirvi in un appartamento più grande ed eliminare l'attrito con i figli. Allora la collaborazione di tutti i familiari è assolutamente necessaria.

Gianni (anni 17)

Sei stufo morto delle conseguenze della vita con la nonna. Non puoi invitare i tuoi amici, perché non c'è posto per passare il tempo allegramente con loro. Sei costretto a dividere la stanza con tua sorella minore e senti che non c'è libertà nella tua vita, perché tua nonna si intromette sempre nelle tue decisioni. Hai già avuto qualche discussione con papà e mamma e non parli quasi più con tua nonna. Stai spesso fuori casa e passi il tempo a casa di amici o in discoteca.

Claudia (anni 14)

Vai molto d'accordo con tua nonna. Parli volentieri con lei e vai a fare per lei delle piccole commissioni molto più volentieri di quanto non faccia tua madre. Il che ti permette anche di guadagnare qualche soldo. Pensi che Gianni abbia un atteggiamento sbagliato. Pensi che la famiglia deve prendersi cura delle persone anziane: se si ascoltano i vecchi si imparano molte cose.

Alice (anni 80)

Sei molti rattristata dal fatto che devi dipendere così totalmente da Lucia e dalla sua famiglia, ma non hai altra scelta. Non ti puoi vestire da sola o cucinare perché hai il morbo di Parkinson. Sei ancora lucida e svelta e sei molto contrariata dal fatto di non poter far niente da sola. Invidi i giovani intorno a te, che sono così pronti, agili e vivaci.
Ti piace stare con gli altri e hai parecchi amici che ti vengono a trovare regolarmente. Senti che i giovani dovrebbero rispettare i vecchi e gli adulti come si usava una volta. Pensi che i tuoi nipoti, Gianni e Claudia, dovrebbero aiutare di più in casa e che Pietro non dovrebbe uscire da solo tanto spesso. L'idea del lavoro per Lucia, poi, ti scandalizza... il posto della donna è il focolare domestico.

Seconda parte

Tommaso Bini (anni 69)

Sei il segretario della Casa dei Vecchi e pensi che i vecchi dovrebbero stare insieme il più possibile. Secondo te, qualunque sia la loro malattia o siano i loro acciacchi, si possono aiutare reciprocamente. Pensi che le persone invecchiano prima del tempo, se si sentono amareggiate.

Dalia Fiori (anni 70)

Vivi con la tua famiglia, come Alice, in condizioni quasi identiche. Hai però la tua camera privata nella casa cosicché puoi ricevere i tuoi amici quando credi senza incomodare nessuno. È così, secondo te, che si possono evitare conflitti. Pensi che Alice debba cercare di fare la stessa cosa.

Violetta Bianchi (anni 68)

Abiti in un pensionato per persone anziane, con infermeria annessa. Secondo te, questa è una sistemazione ottima perché hai la tua indipendenza e, in caso di bisogno, hai assistenza medica immediata. Pensi che Alice dovrebbe provare a vivere allo stesso modo oppure trovarsi un appartamento indipendente e trovare l'aiuto di una domestica per fare le faccende di casa.

Rino Stanchi (anni 75)

Abiti solo in un appartamento. Per te è difficile mantenerti con i soldi della pensione e l'ambiente è umido e freddo. Pensi che Alice sia molto fortunata a stare con la sua famiglia anche se di tanto in tanto ci possono essere litigi e discussioni. Dici che saresti felice di avere ogni tanto qualcuno con cui litigare.

Un caso difficile

Cesare Valli, di 17 anni, vive ad Alessandria con la madre, separata da 8 anni dal marito. Frequenta l'ultimo anno di liceo classico, non è mai stato uno studente molto brillante, non per mancanza di capacità ma per scarso impegno, se l'è però sempre cavata, spesso grazie agli esami di riparazione. Di famiglia benestante, bel ragazzo, sportivo, estroverso, pieno di amici e rincorso dalle ragazze: fino a pochi mesi fa sembrava un giovane «normale», senza grossi problemi esistenziali, come risulta dal parere dello psicologo da cui la madre l'aveva mandato per prevenire un possibile trauma al momento della crisi familiare. In questi ultimi mesi Cesare è apparso turbato e ha bruscamente smesso di frequentare i vecchi amici e si è fatto notare, a scuola, per un rilevante numero di assenze.

Dieci giorni fa è stato fermato dalla polizia mentre si dava alla fuga dopo aver scippato, in pieno giorno, una anziana signora. Portato al Commissariato, ai controlli medici, risultava aver agito sotto gli effetti della droga. Alle strette, Cesare ha ammesso di fare uso di eroina da qualche tempo.

Dato che Cesare è ancora minorenne, il suo caso è di competenza del Tribunale minorile. Il giudice, in vista di una prossima udienza, ha incaricato un gruppo di assistenti sociali di assumere tutte le informazioni possibili sul ragazzo, al fine di prendere la decisione più opportuna sul suo futuro.

Le possibili alternative del tribunale sono:

— responsabilizzare la madre ai propri doveri di tutela del minore e demandare a lei il recupero del ragazzo;

— riconosciuta l'incapacità della madre a provvedere all'educazione del figlio, incaricare di questa il padre o il fratello maggiore;

— affidare il ragazzo ad una comunità terapeutica, qualora la famiglia non dia le necessarie garanzie;

— tenendo conto dei risvolti puramente legali del caso, mandare il ragazzo in riformatorio.

Tra breve, nella sede del Consultorio di quartiere, si terrà l'incontro tra gli assistenti sociali e i familiari e conoscenti del ragazzo.

Sandra Monti — la madre, 45 anni, si è sposata abbastanza giovane e il suo matrimonio ha cominciato ben presto a non funzionare. Qualche anno dopo la nascita di Cesare ha ripreso a lavorare, nel campo editoriale, e ha avuto e ha un notevole successo. Donna brillante e impegnata, è spesso via per lavoro. La carriera ha definitivamente chiuso le prospettive familiari.
Sandra e Vincenzo si sono separati 8 anni fa e hanno divorziato 2 anni fa. Sandra, carattere forte, ha superato la crisi concentrando tutti i suoi interessi sul lavoro e sul figlio minore, nei confronti del quale si sente un po' in colpa. I rapporti con l'ex-marito sono tesi, i due cercano di evitarsi a vicenda.

Vincenzo Valli — il padre, 48 anni, notaio, è un uomo generalmente calmo e razionale, forse un po' noioso... Pur essendo all'inizio innamoratissimo della moglie, ha visto il suo matrimonio sfasciarsi pian piano senza far niente per rimetterlo in piedi. Non avrebbe voluto separarsi e prova del risentimento per Sandra che invece l'ha voluto. Non è mai stato molto vicino ai figli, specie a Cesare, troppo simile alla madre, per mancanza di tempo e anche di voglia.

Remo Valli — il fratello maggiore, 26 anni, ricercatore in un laboratorio chimico, sposato da un anno, integrato sia nel lavoro che nella nuova famiglia. La crisi dei genitori, pur scoppiata negli anni per lui difficili, è stata superata grazie all'equilibrio personale. Ha sempre disapprovato l'esagerata preoccupazione della madre nei confronti del fratello minore, che ha di conseguenza un carattere debole e insicuro, facilmente influenzabile. Secondo lui, a questo punto, bisogna assumere una linea dura, controllare il ragazzo continuamente per costringerlo a cambiare e a prendere le proprie responsabilità. Non esclude il riformatorio, come rimedio ultimo.

Teresa Bini — la ragazza di Cesare, 17 anni. Conosce Cesare da un anno e da lui sa che non si è mai sentito soffocato dall'atteggiamento della madre, e che anzi accettava le sue attenzioni perché, a suo parere, era lei che aveva bisogno di riversare affetto su qualcuno. È sempre stato sicuro di se stesso invece, e aperto a nuove esperienze. Sa che aveva cominciato a drogarsi, per pura curiosità, solo da qualche mese, affermando che non ne sarebbe stato coinvolto. Non riesce a spiegarsi quell'atto di violenza che non è nel suo carattere.

Sergio Mori — il compagno di scuola, 18 anni. Conosce Cesare molto bene perché sono stati compagni di banco per tutto il liceo e facevano parte dello stesso gruppo. Pensa che la scuola, per Cesare, non sia mai stata al centro dei suoi interessi perché poco stimolante e banale. Conferma l'opinione della ragazza sul carattere attivo ed estroverso dell'amico e aggiunge che Cesare è sempre stato un elemento positivo nel gruppo per il suo entusiasmo e la sua comunicativa. Della droga, però, non sapeva niente di preciso, pur sospettando qualcosa perché ultimamente non si era fatto più vedere.

Prof. Lino Roselli — insegnante di lettere, 36 anni. Secondo lui, il ragazzo è intuitivo, sensibile, originale, particolarmente aperto a problemi sociali. Per questo le materie tradizionali lo lasciavano indifferente, mentre contribuiva a dibattiti e discussioni con brillanti interventi critici. Ha parlato recentemente col ragazzo per avere spiegazioni sulle numerose assenze ed ha trovato le spiegazioni insoddisfacenti, anzi il suo atteggiamento era stranamente chiuso e sulla difensiva per cui aveva pensato di dover convocare la madre.

Assistenti sociali — Siete un gruppo di assistenti sociali, esperti in delinquenza minorile. Dovete avere un incontro con le persone che conoscono meglio Cesare Valli, e, in vista di questa riunione, dovete discutere le domande da rivolgere a ciascuno di essi per avere un quadro completo della situazione. Scopo della riunione è stabilire l'alternativa più adeguata al caso tra quelle offerte dal giudice. In questa prima fase, potreste già formulare un'ipotesi di cui cercherete conferma durante l'incontro.

LEGGERE E ASCOLTARE
PER
PARLARE E DISCUTERE

UNA TELEFONATA DI TROPPO

di A.I. DUPIN

Chi ha ucciso il signor Morris? Provate a risolvere l'enigma. Vi attendono cinque soluzioni possibili con le quali misurare il vostro quoziente di sottigliezza mentale...

Erano le otto di mercoledì sera. Nella sacrestia di padre Hercule Wolfsherlock stavano arrivando gli invitati. Senza alzarsi, padre Hercule, con ampi gesti delle mani invitava tutti a sedersi sulle poltroncine rosse che aveva disposto ad anfiteatro davanti a sé. Con la sua mole immensa, anche da seduto sovrastava i presenti, le due bande di capelli impomatati intorno alla caratteristica testa a forma d'uovo. L'immancabile pipa a sassofono giaceva davanti a lui sulla scrivania, ma in quel momento il suo naso grifagno stava aspirando rumorosamente qualcosa da una enorme tabacchiera.

« Cocaina in soluzione al sette per cento, immagino », disse un ometto bruno dall'impermeabile sdrucito che entrava in quell'istante.

« Non dite sciocchezze tenente Vespucci », disse padre Hercule con un fine sorriso. « Queste cose le lascio fare al mio collega S.S. van 'Vance, io sono un uomo di chiesa ».

« Dicevo per dire », disse umilmente il tenente Vespucci. « Io di chimica non me ne intendo, e in questa storia di chimica ve n'è sin troppa ».

« La storia è meno complicata di quanto sembri a voi, tenente », disse padre Hercule. « Almeno per me », aggiunse, poi, con modestia: « Ma si sa, io sono un genio ».

Si guardò intorno: « Mi pare che ci siamo tutti ». Chiamò il sacrestano: « Spade, siediti in quell'angolo e prendi appunti, ma per bene, come facemmo per il caso della poiana cipriota ».

« Non capisco perché sono stato convocato », sbottò un signore dall'aria dispeptica, « io sono un professionista rispettabile! ».

« Calmatevi signor Jones », disse padre Hercule in tono conciliante, « ho semplicemente convocato tutti i possibili assassini. Tra voi questa sera indicherò il colpevole ».

« Possibile assassino, io? », disse il signor Jones. « Voglio il mio avvocato ».

« Signor Jones, anche voi eravate presente martedì, quando il signor Morris prese la sua pillola ».

« Che stupidaggine, Morris è morto alle otto di sera! ».

« Ammetterete comunque che è morto. Classico delitto nella camera chiusa. Rientra dalla seduta dall'avvocato Crombie, entra turbato nel suo studio... vero Theodore? ».

« Verissimo signore », disse un individuo incolore con la faccia da maggiordomo.

« ...non interrompetemi, era una domanda retorica. Entra nello studio e vi si chiude a chiave, vero Theodore? Perché tacete? ».

« Verissimo padre », disse Theodore, visibilmente a disagio.

« Siete visibilmente a disagio », osservò padre Hercule con un sorriso indefinibile. « Curioso, perché avete un alibi di ferro. Vi ritiraste subito in cucina con la cuoca e la cameriera che videro entrambe il signor Morris rinchiudersi in studio. Cenaste con le due donne, tutti e tre udiste due scatti della centralina, segno che il signor Morris rispondeva al telefono, poi udiste un grido strozzato e un tonfo. Sfondaste la porta e trovaste il vostro padrone morto. A proposito, come avete fatto a sfondare una porta così robusta, Theodore? ».

Il maggiordomo sorrise con falsa modestia: « Durante la guerra ero nei commandos, signore, la famosa Quinta Squadra Speciale ».

« Andate avanti ».

« Il signor Morris era morto. Doveva essersi afferrato alla libreria prima di stramazzare, perché aveva trascinato nella sua caduta un volume dell'Enciclopedia Britannica, il primo per l'esattezza. Chiamammo il dottor Hastings, il tenente Vespucci... ».

« E che fece il nostro tenente Vespucci? », chiese padre Hercule con fine ironia.

« Quello che fa un poliziotto in questi casi, specie se è nuovo della squadra omicidi e viene dal controllo del traffico. Feci qualche domanda e ordinai che venisse fatta l'autopsia al cadavere. Il risultato lo conoscete: cianuro ».

« E allora tutto è chiaro », intervenne irritato il signor Jones. « Camera chiusa, veleno, chi volete che sia stato. Arsenio Lupin? E' suicidio. Quel vecchio caprone non ha soppor-

tato l'idea che la moglie potesse divorziare, e si è ucciso! ». Ebbe un momento di resipiscenza: « Non crediate che lo odiassi ».

« Oh no, semplicemente lo detestavi e lo avresti voluto morto », disse un tizio col viso caratteristico del malato di fegato.

« Taci Bennett », urlò Jones fuori di sé, « tu sì lo avresti strangolato, se avessi potuto! ».

« Stava mandando in rovina la nostra azienda », disse acido Bennett.

« Ecco un bel terzetto di soci che si sarebbero eliminati volentieri a vicenda », disse padre Hercule fregandosi le mani. « Ma è toccata a Morris. Il quale non aveva ragioni per suicidarsi. Anzitutto non languiva d'amore per sua moglie, secondo ha concesso il divorzio volontario, vero signora Morris? ».

« Vero », rispose una bella donna sulla trentina, che stava tormentando con le mani un fazzoletto di fine batista. « Da un anno era a corrente della mia relazione col dottor Quincey e sapeva che volevamo sposarci. Per questo non voleva concedere il divorzio, per obbligarmi a vivere infelice. Sapeva che rinunciavo all'eredità, agli alimenti a tutto. Sapeva che non potevo più sopportare la sua presenza, e infatti da alcuni mesi non vivevo in casa. In certi momenti avrei voluto ucciderlo io... Però ieri aveva compiuto l'unico atto generoso della sua vita. Proprio un'ora prima di morire venne all'appuntamento che avevamo dall'avvocato e firmò il consenso. Povero Leopold ».

« E così ora vi beccate la libertà e l'eredità », sghignazzò Jones.

« Miserabile », lo fulminò Dora Morris.

« Ehm », disse un signore mingherlino, « faccio notare che la signora era già stata diseredata da tempo, in favore del nipote, il dottor Charles Brisbane... ».

« Lo sapevate voi, notaio Higgins », disse Jones, « ma forse lei non lo sapeva ».

« Perché mi odiate così, Jones? », chiese amareggiata Dora Morris.

« Odio tutta la vostra maledetta famiglia. Se gli affari vanno male è anche colpa vostra che gli avevate fatto andare il cervello in acqua, e quel bestione di Leopold ne aveva già poco! ».

« Calma signori », disse un tipo in grisaglia. Si presentò a padre Hercule: « Sono l'avvocato Crombie. Tutta la famiglia e i soci sono d'accordo nel non allargare lo scandalo. Per fortuna i giornali del mattino non hanno fatto in tempo a dare la notizia e quanto a quelli della sera... beh, avevo qualche conoscenza... Trovate subito il colpevole, padre, e domani tutto si risolve con una sola notizia nelle pagine interne. C'è un' azienda da salvare, e c'è il buon nome della signora, c'è il prestigio accademico del nipote, il dottor Brisbane... ».

« Già », disse padre Hercule, « ma dov'è il dottor Brisbane? ».

Intervenne il tenente Vespucci: « Il dottor Brisbane abbandonò la riunione ieri alle 11,10, per correre all'aeroporto. Era atteso a New York dove doveva tenere il discorso conclusivo al congresso di neurochirurgia ».

« Sì, ma perché non è ancora qui? ».

« Stamane i congressisti sono in gita a Washington e lo abbiamo trovato per telefono solo nel primo pomeriggio. E' riuscito a prendere l'aereo delle cinque, ora della East Coast. Cinque ore di viaggio, meno tre di differenza per il fuso orario della costa californiana, dovrebbe arrivare a momenti ».

Proprio in quell'istante fece il suo ingresso un giovane di circa trent'anni, con una valigia in mano.

« Il dottor Brisbane, suppongo », chiese padre Hercule con un lampo negli occhi.

« Sì, padre », disse il giovane con gli occhi umidi di pianto. « Sono costernato. Il povero zio... l'ho lasciato pieno di buon umore. E' terribile. Ho appreso la notizia da un tenente di polizia, ma mi ha solo detto che lo zio è stato avvelenato ».

« Ero io il tenente », disse Vespucci. « Accomodatevi ».

« Accomodatevi lo dico io, prego », disse piccato padre Hercule. « Chi poteva avere interesse a uccidere vostro zio, dottor Brisbane? ».

Charles si guardò intorno: « Tra i presenti tutti, o quasi. Il signor Jones e il signor Bennett avevano commesso tali pasticci con l'azienda che lo zio era deciso a mandarli in galera... Oh, tacete, conoscevo bene la situazione. Il notaio Higgins si era indebitato sino agli occhi con lo zio, e mio zio non era uomo da fare elemosine. Il notaio aveva chiesto un ennesimo rinvio, ma era con l'acqua alla gola. Notate che lo zio, Jones e Bennett avevano un'azienda di prodotti chimici, un ambiente in cui non era difficile procurarsi veleno o contraffare una pillola ».

« E nel mio ambiente, dottore? », chiese acidamente il notaio.

« Avete un fratello farmacista ».

« Oh », disse sarcasticamente il notaio, « se tutti coloro che hanno un fratello farmacista... ».

« Ma andiamo avanti », disse Brisbane, « mia zia lo odiava e il suo ganzo, il dottor Quincey... ».

« Non vi permetto di chiamarmi così! », urlò un signore col viso di chi aveva passato molti anni in colonia.

« Non siete forse l'autore di una pregiata monografia sui veleni orientali? », chiese Brisbane con aria di sfida. « Vi siete sempre vantato di conoscere veleni indiani che agiscono a distanza di dodici ore! ».

« Un conto è la teoria e un conto la pratica », urlò Quincey, « non crederete che abbia la casa piena dei veleni su cui ho scritto: venite a fare una perquisizione! ».

« Che sciocchezze », interruppe Charles Brisbane. « Non sarete così imbecille da tenerli in una vetrinetta! ».

« Stiamo ai fatti », disse padre Hercule.

« Scusatemi, padre », disse Brisbane, « ma sono sconvolto. Vedete, mio zio era un uomo molto odiato... ».

« Non era necessario odiarlo... », disse Dora Morris con un sorriso enigmatico.

« Cosa volete dire, zia? ».

« Voglio dire che siete l'unico che trarrà vantaggio da questa morte... ».

« Io faccio il neurochirurgo e non me ne intendo di veleni che agiscono a distanza! E non ho bisogno di denaro, ho una posizione accademica... ».

« ...e vi siete rovinato alle corse », concluse Jones. Brisbane non lo degnò di uno sguardo.

« Alle corte », disse padre Hercule, « riesaminiamo la sequenza degli eventi. A voi, Theodore ».

« Saranno state le undici di ieri mattina », iniziò il maggiordomo. « Il signor Morris stava prendendo un aperitivo con i suoi ospiti, il signor Jones, il signor Bennett, il notaio Higgins e suo nipote, che però stava per correre all'aeroporto.

La tavola era già imbandita perché il signor Morris mangia di solito alle undici e un quarto. Come tutti i giorni andai nel bagno degli ospiti, dove c'è l'armadietto dei medicinali, e presi dal flacone una pillola digestiva, la misi su di un vassoio e la posai accanto al piatto del signore. E' una sorta di rito. Il signor Morris abbracciò il nipote che era già in ritardo per il suo aereo di mezzogiorno, poi si mise a tavola con gli altri. Alla fine del pasto, come fa ogni giorno, prese la sua pillola con un bicchier d'acqua. Restò quasi due ore a discutere d'affari, prendendo il caffè, poi verso le due gli ospiti se ne andarono. Mi pareva sereno. Mi disse di ricordargli che verso le sei doveva andare dall'avvocato Crombie, e ricordo che disse che sua moglie era testarda ma che lui era più testardo ancora. Poi si ritirò nello studio. Verso le cinque squillò il telefono e il signore rispose dallo studio. Fu a quel punto che si precipitò fuori, con la fronte imperlata di sudore... ».

« E che avvenne? ».

« Come hanno confermato anche la cameriera e la cuoca che erano presenti, urlò che lo volevano morto e mi disse di prendere il flacone delle pillole perché occorreva farle analizzare. Io andai in bagno, aprii l'armadietto... ».

« ...e il flacone non c'era più », concluse padre Hercule.

« Esatto. Scomparso. Lo dissi al signor Morris che rispose... mi pare... che così avrebbe dovuto fare il gioco di quei dannati. Disse proprio così. Poi fece chiamare l'autista e uscì ».

« Venne da voi avvocato, non è vero? ».

« Sì », rispose Crombie, « era molto turbato, gli tremavano le mani, non guardò neppure sua moglie e disse che voleva regolare la questione. In breve, firmò il consenso, e io rimasi di stucco. Poi uscì senza salutare e lanciando uno sguardo di fuoco alla signora. Saranno state le sette ».

« Infatti », disse Theodore, « arrivò a casa poco prima delle otto. Si chiuse subito nello studio rifiutando la cena. Udimmo due volte suonare il telefono... Cioè, ora che ci penso, una volta suonò ma una volta udimmo solo gli scatti della centralina, segno che era il signore che chiamava ».

« Fu la prima o la seconda volta? ».

« La prima, mi pare ».

« Ebbene », disse il notaio, « fu certo la prima volta e chiamò me. Era eccitato, disse che non aveva tempo perché aspettava una telefonata maledettamente importante e doveva mettere subito giù il telefono. Disse, e mi ricordo distintamente, che se gli fosse accaduto qualcosa il colpevole era Quincey, che aveva combinato tutto (disse così): ha combinato tutto quel maledetto complotto per ottenere il divorzio) ».

«**E** dobbiamo credere alla vostra parola, vero? », intervenne Quincey, pallido. « Ma vi rendete conto dell'assurdità di questa storia? Se l'ho ammazzato non avevo più bisogno del divorzio e se volevo il divorzio mi serviva vivo, davanti al giudice tra una settimana. E poi all'ora in cui è morto sapevo già che aveva dato il consenso. Non vedete che le cose non stanno insieme? ».

« Se il signore mi permette », disse educatamente Theodore, « quando il signore venne alle quattro per parlare col signor Morris... ».

« Il dottor Quincey venne da voi alle quattro? », chiese incuriosito padre Hercule. « Non me lo avete detto ».

« Scusatemi padre, me ne ero dimenticato. Fu per pochi minuti. Il signor Morris lo ricevette in soggiorno e gli disse seccamente che non voleva ascoltarlo e che quel divorzio non lo avrebbe mai concesso. Poi rientrò in studio sbattendo la porta. Fu quasi un'ora prima di ricevere quella telefonata che lo turbò tanto. Lo dico ora perché dopo quel breve colloquio, il dottor Quincey era talmente agitato che prima di uscire chiese di andare in bagno... ».

« Ah sì », chiese con aria di sfida Quincey, « e così avrei sottratto io il flacone delle pillole? E quando ve le avrei messe? ».

« Se è questo che volete sapere », disse freddamente il dottor Brisbane, « la zia venne a casa proprio la sera di lunedì, a ritirare i suoi abiti autunnali, vero zia? ».

« Tacete Charles », disse Dora, « come potete dire una cosa simile? Eppure un tempo dicevate di amarmi! ».

Theodore tossicchiò educatamente: « D'altra parte, a essere sincero, tra il momento in cui il signore prese la pillola e quello in cui tutti uscirono, chiunque avrebbe potuto entrare nel bagno per lavarsi le mani... ».

« Bene », disse Jones con aria di sfida, « io sono andato in bagno, mi sono lavato le mani e ho fatto anche pipì... scusatemi padre. Ma di quelle maledette pillole non so nulla! ».

« E io in bagno non ci sono stato », disse acidamente Bennett.

« Va bene, va bene », disse padre Hercule in tono conciliante, « non potremo mai controllare. Ma riepiloghiamo: il signor Morris prende la sua pillola, riceve una telefonata misteriosa, vuole fare analizzare le pillole, non le trova, corre dall' avvocato... ».

« **S** cusate padre », interruppe un signore che sino ad allora era rimasto silenzioso: « Sono il dottor Hastings, il medico curante del signor Morris. Il fatto è che se il signor Morris è uscito di casa quando dice Theodore, allora prima di andare dall'avvocato è passato da me. Mi fece uno strano discorso, come se credesse di essere stato avvelenato, ma disse che non poteva parlare se no peggiorava le cose. Io lo visitai sommariamente ma non riscontrai alcun sintomo di avvelenamento. E poi ho visto il cadavere e ero presente all'autopsia. Avvelenamento da cianuro! Sapete cosa vuol dire? Si muore in pochi secondi, altro che veleni orientali a scoppio ritardato! Io dissi al signor Morris che secondo me lui stava benissimo, ma lui non ci credette e volò via come un fulmine ».

« Vorreste ripetere quello che avete detto poco fa, dottore? », chiese il tenente. « Come se credesse di essere stato avvelenato... ».

« Sì », disse il dottore, « più che un caso di avvelenamento mi parve un caso di panico. Se posso usare una metafora gli usciva l'adrenalina dagli occhi... ».

« Vorreste ripetere quello che avete detto poco fa, dottore? », chiese a sua volta padre Hercule. « Veleni a scoppio ritardato... ».

« Perché? », chiese il dottore.

« Oh nulla, una semplice associazione di idee », disse padre Hercule con un sorriso pieno di sottintesi. « Ma torniamo... a bomba. Tutto ruota intorno a questa benedetta pillola, perché dopo, ricordiamolo, il signor Morris muore in una camera chiusa. Anche se », aggiunse con un sorriso astuto, « Spade ha controllato dov'era ciascuno di voi tra le sette e le otto, e ciascuno ha un alibi... a prova di bomba. Non ho controllato l'alibi del dottor Brisbane, ma da New York a qui ci vogliono cinque ore di aereo... ».

« **I** l dottor Brisbane », disse il tenente Vespucci, « è arrivato alla sede del congresso un'ora dopo l' arrivo dell' aereo, alle nove ha tenuto il suo discorso davanti a cinquecento persone, poi ha cenato con il presidente della Medical School della N.Y.U. col quale si è intrattenuto sino alle undici circa, quindi si è ritirato in albergo in camera sua. Tutto controllato telefonicamente, al congresso e all'albergo... ».

Il dottor Brisbane levò la mano, esitò alquanto, poi disse: « Io debbo confermare le parole del notaio. Mio zio riteneva veramente che Quincey gli avesse giocato un brutto tiro ».

« Come fate a saperlo? ».

« Ecco, ieri sera, prima di coricarmi, alle undici, cioè alle otto di quaggiù telefonai allo zio. La telefonata esterna di cui dice Theodore è la mia. Volevo dire allo zio che il discorso aveva ricevuto molti applausi, che ero felice, ma lui non mi lasciò parlare. Alluse a una telefonata che aspettava, disse che non voleva tenere occupato l'apparecchio, e aggiunse che se gli succedeva qualcosa la colpa era del dottor Quincey. Poi interruppe la conversazione ».

« E chi dice che avete telefonato? », chiese Quincey. « La vostra parola vale quella del notaio. Voi due mi volete incastrare! ».

« Io ho veramente telefonato e ne ho la prova », disse trionfalmente Brisbane. « Ecco il conto dell' albergo, dove hanno addebitato anche una "long distance". Controllate alla Bell Telephone dove avranno la scheda con la località e il numero chiamato! ».

« E' verificabilissimo », disse il tenente Vespucci, « ma ci credo ».

« **B** eato voi che siete così fiducioso, tenente », disse padre Hercule, « ma qui le cose si complicano. Le telefonate diventano quattro: una nel primo pomeriggio, una del signor Morris al notaio, una del dottor Brisbane allo zio, e una quarta, che il signor Morris attendeva con ansia. Questa quarta telefonata non arriva, il signor Morris si alza, si avvicina alla libreria e stramazza al suolo ».

« Troppe telefonate », commentò il tenente Vespucci.

« Non me le sono inventate io », rispose seccamente padre Hercule. « Ma procediamo. Il signor Morris muore di cianuro. Il cianuro o era nella pillola del pomeriggio, o viene inghiottito alle otto. Ma se escludiamo il suicidio, psicologicamente improbabile, perché il signor Morris avrebbe dovuto inghiottire qualcosa d'altro dopo il panico che gli aveva provocato la prima pillola? A meno che... a meno che qualcuno non sia entrato nello studio... ».

« Ma era chiuso a chiave », disse il maggiordomo.

Padre Hercule ebbe un fine sorriso: « Che cosa riserva il testamento alla servitù, signor Higgins », chiese.

« Che cosa diavolo c'entra? », chiese Theodore perdendo le staffe.

« Oh Theodore », disse padre Hercule con noncuranza, « avete detto il primo volume della Britannica, vero? Quello in cui c'è la voce adrenalina... ».

« Può darsi padre, io non so... ».

« Sì che sapete. La quinta pattuglia speciale dei commandos si occupava anche di reagenti chimici. Non fu quella che usò in territorio nemico una bomba a scoppio ritardato? Una capsula reagiva agli agenti atmosferici e si scioglieva in sei ore scoprendo un filo e operando un contatto... ».

« Ma quella non reagiva all'adrenalina », disse con un ghigno di disprezzo il notaio Higgins. Poi si morse le labbra.

« Che cosa ne sapete voi di queste cose, signor Higgins? », chiese stupito il tenente Vespucci.

« Il fratello farmacista... », alluse il dottor Brisbane.

« Io ormai so chi ha ucciso il signor Morris », disse il tenente Vespucci.

« Ma bravo », ironizzò padre Hercule. « Anch'io. Ecco la mia storia ».

Parlò per alcuni minuti. Qualcuno si alzò e cercò di strangolarlo. Spade lo mise quieto colpendolo con un candelabro. Intervenne il tenente, e raccontò un'altra storia, del tutto diversa. Qualcuno rise e disse: « Provatelo! ». Il tenente rispose: « Ho registrato tutta la conversazione di questa sera: vi siete tradito ».

Chi ha ucciso il signor Morris? Avete a disposizione cinque soluzioni, dalla più banale alla più ingegnosa. A seconda della soluzione che avrete scelto verrà valutato il vostro quoziente di sottigliezza mentale.

L'Espresso - 28 agosto 1983

Compilate la scheda.

UNA TELEFONATA DI TROPPO

I personaggi: 1.

2.

3.

4.

5.

6.

7.

8.

9.

10.

....

....

I fatti

I moventi di ogni personaggio

Notizie sulla vittima

La scena del delitto

L'assassino: ipotesi possibili

80

IL GIALLO

Furto d'autore

di RENATO OLIVIERI

«Lo ammetto», disse il commissario Ambrosio, «è una storia abbastanza strana». Faceva caldo, nonostante fossero in terrazza, all'ultimo piano di un grattacielo di piazza della Repubblica. Milano, dall'alto, pareva una città abbandonata, e lo era davvero in quella notte di fine luglio.

«Vuole del ghiaccio nel whisky?», chiese la signora, seduta su una panca laccata di giallo, accanto a un alberello di limoni. Era bionda, un po' massiccia, dimostrava tutti i suoi anni.

«Ti ho disturbato, Giulio, perché si tratta di una faccenda delicata», disse l'uomo che, tanti anni pri-

ma, era stato suo amico. «Abbiamo fatto l'università insieme, e approfitto di te», concluse, toccandosi i baffi grigi. Era robusto e quasi calvo.

«È stata Alima, la nostra domestica somala, mentre spolverava i quadri a...», cominciò a raccontare la signora, fissandolo.

«...a mettersi a urlare. Urlava: non è mia colpa! Non è mia colpa!», continuò l'amico di Ambrosio, deponendogli due cubetti di ghiaccio nel bicchiere.

«La piccola tela di Morandi che abbiamo nel soggiorno, accanto al caminetto, era caduta per terra, staccandosi dalla cornice», spiegò la signo-

ra. «Corsi da Alima e la calmai. Non era successo niente di irreparabile. La tela, fissata male con i chiodi, era scivolata tra la parete e la cornice, quando la ragazza l'aveva spostata per pulirla».

«Fu in quel momento, tenendo in mano la tela, che vi accorgeste che non era più il quadro vostro, quello vero? È così?».

«Non sono competente», disse la signora, facendosi vento con una cartolina illustrata, «ma ho capito che non era il nostro, il quadretto che mi aveva regalato quando ci fidanzammo, perché dietro non c'era il timbro della galleria. Lo ricordavo perfettamente: un tim-

bro azzurro con un numero e una firma scritti con il pennarello nero».

«E poi, dietro la tela, c'era anche un'etichetta che diceva...», l'uomo si alzò, andò in soggiorno, accese una lampada, aprì un cassetto del secrétaire.

«Il suo vangelo», commentò la moglie, facendo tintinnare il ghiaccio nel bicchiere.

L'uomo scorse le pagine del quaderno con la copertina nera, e lesse: «Giorgio Morandi, natura morta, 1960, 30x25, olio su tela, firma in basso a sinistra. Così c'era scritto sull'etichetta».

«Fosse stato soltanto per l'etichetta non ci avrei fatto caso», disse la signora. «Le etichette qualche volta si staccano».

«È difficile, cara».

«Mica tanto. Tu non fai le pulizie, ma io sì. Almeno un paio di volte si è staccata l'etichetta del Carrà. Si direbbe che la tela le rifiuti».

«Avete dei sospetti?», chiese Ambrosio.

«Sente, all'improvviso, che brezza? Viene dalle Prealpi», disse la donna. Posò la cartolina sul carrello, anch'esso laccato di giallo, la guardò, sorrise: «È di nostro figlio Marco, sta navigando su una barca di amici. Adesso dovrebbe essere tra Creta e Rodi. È un appassionato, anzi un maniaco di barche, come il nostro amico Ottone».

«Parlavi di sospetti», riprese l'uomo. «Nessuno, per quel che mi riguarda. E poi, come si fa ad azzardare ipotesi, senza prove?».

«Quanto vale un Morandi come... come quello che avevate?», chiese Ambrosio.

«Duecento milioni».

«Davvero?», disse la signora, un po' sorpresa. «Tu l'avevi pagato così poco...».

«Tesoro, cinque milioni non erano pochi, allora».

«È vero», ammise la signora, «allora eri innamorato di me». Lo guardò di malumore. Bevve un sorso: «E pensare che adesso, nonostante la cifra sembri straordinaria, potresti, con duecento milioni, acquistare sì e no la barca che piacerebbe a Marco».

«Si comprerà la barca quando diventerà qualcuno. Intanto pensi a laurearsi».

«Ti occupi sempre di consulenze fiscali?», chiese Ambrosio.

«Sempre», annuì l'uomo. «La forza della laurea in legge: ti può portare ovunque. Persino nella polizia». Rise.

«Era lo studio di mio padre», disse la signora, «il più avviato della città». Continuò: «Lui si lamenta sempre di Marco».

«Lo vorrei più studioso, più responsabile».

«Accontentiamoci. In fondo è un buon figliolo, anche se è pigro. Dico sul serio, sa? Sportivo, affettuoso. Pure Anna è buona, ma...».

«Almeno lei si è laureata in lettere con pieni voti, e si è specializzata in storia dell'arte».

«Anna è una ragazza intelligente, colta. Però è troppo emotiva, troppo... troppo istintiva. Sono sua madre, ma non la capisco, non condivido certe sue scelte».

«Ce l'ha con Anna perché sta con un tipo, un artista...».

«Artista quello? Ma fammi il piacere! Dipinge con le bombolette spray. E poi ha uno sguardo... quegli occhi vacui...».

«È un buon pittore. Ha mestiere, altroché. Lei pensa che si droghi», disse l'uomo.

«Anna viene spesso a trovarvi?», chiese Ambrosio.

«Quasi tutti i giorni», rispose l'uomo. «Lui non la vuole nello studio di Brera; vivono in un monolocale di via Volta. L'ho comprato io per Anna».

«Se non venisse salterebbe i pasti», puntualizzò la signora.

«Marco abita con voi?».

«Ha la sua stanza e un bagno di là», e la signora indicò un lato della terrazza dove c'era un pergolato di glicine.

«A parte Alima, avete altri domestici?».

«Il marito di Alima, che ci fa da autista e da fattorino».

«Somalo?».

«Macché», sorrise la signora. «Ignazio è amalfitano. Ex marinaio, prima di sposarsi è stato nell'equipaggio dello yacht di Alì Kan. Marco lo considera una specie di Vasco de Gama».

«Dormono qui?».

«No, hanno un appartamentino a Porta Venezia. Restano con noi perché gli paghiamo l'affitto».

«Pulite spesso i quadri?».

«Se dipendesse da me, anche una volta al giorno», disse la signora. «Tuttavia mi rendo conto che non è possibile, la casa è grande, Alima è sola, e non è un fulmine. Diciamo che mobili e moquette vengono spolverati tutte le mattine, i quadri un po' meno».

«Come mai non siete in vacanza?».

«Chiudo lo studio in agosto», disse l'uomo, poi indicando la moglie: «Lei va e viene da Portofino, dove abbiamo tre locali sulla piazzetta, sopra l'Excelsior, hai presente?».

«E Alima?».

«Va con lei. Ignazio invece resta con me. Se non esco, mi prepara anche la cena».

«Non gliela prepara mai, è sempre fuori. Non gli par vero di essere finalmente libero, di fare i comodi suoi».

«Figurati», disse l'uomo, «crede che sia pieno di donne».

Cominciarono a cadere le prime gocce di pioggia. Le nuvole scivolavano in cielo, rapide.

«Che lampi», disse la signora, curiosamente eccitata.

Aveva le gambe da acrobata di circo. Si era messa a correre per abbassare le tapparelle. «Entrate! Entrate!», gridava con inquieta allegria.

«Non ha paura del temporale», commentò Ambrosio, mentre il suo vecchio amico si muoveva nel vasto soggiorno con i divani color panna, e gli mostrava la marina di Carrà, il de Chirico con i cavalli al galoppo, le due donne di Campigli, una via San Leonardo di Rosai.

«Non ha paura di niente», disse l'uomo. «È a me che fa paura, a volte».

«Sei assicurato contro il furto di quadri?».

«Soltanto in parte. Siamo all'ultimo piano, dovrei sbarrare tutte le finestre, blindare tutte le porte, mettere altri allarmi, figurati».

«E poi non te la senti di denunciare il furto. Ho forse torto?».

«No», disse l'uomo.

«Temi qualcosa. Dimmi la verità».

Mentre la signora stava venendo verso di loro, suonò il telefono. Disse lesta al marito: «Lascia, vado io in camera. Dev'essere Anna».

«Sono certo che tu sai chi ha dipinto il falso Morandi», disse Ambrosio sedendosi sul divano e accendendosi una sigaretta. Anche l'amico si sedette, pareva perplesso.

A questo punto dovreste avere sufficienti elementi per intuire l'autore del furto. Chi è? Ascoltate il finale del giallo e verificate le vostre doti di intuizione ed analisi. Anche se non avete indovinato, uno psicologo vi suggerirà quali tratti del vostro carattere vi hanno portato a sospettare uno o l'altro dei protagonisti.

Compilate la scheda.

Furto d'autore

I personaggi: 1.

                      2.

                      3.

                      4.

                      5.

                      6.

                      7.

                      8.

                      9.

                      10.

                      ....

                      ....

I fatti

I moventi di ogni personaggio

Notizie sulla vittima

La scena del delitto

L'assassino: ipotesi possibili

DELITTO IN CAMERA APERTA

La cerimonia funebre era terminata. I presenti stavano per lasciare il sontuoso cimitero di Forest Lawn.

«Un momento signori», disse padre Hercule Wolfsherlock con un fine sorriso: «vorrei tirare le somme. La conclusione è ormai chiara nella mia testa. Non vi stupite: sono un genio». Si passò le mani sulle bande di capelli impomatati che inquadravano la sua testa dalla caratteristica forma d'uovo e aspirò col naso adunco da una capace tabacchiera. Briciole di tabacco si sparsero sull'abito talare che avvolgeva la sua mole immensa. Mandò un brontolio di disappunto, mise la tabacchiera in tasca e si pose tra i denti la sua pipa a forma di sassofono.

«Ma dove volete portarci?», chiese un ometto bruno dall'impermeabile sdrucito.

«Calma, tenente Vespucci», disse padre Hercule, «la sala d'imbalsamazione andrà benissimo».

«Mi congratulo per il vostro buon gusto», disse acidamente un giovanotto dai capelli fluenti.

«Non fate della facile ironia, signor Moriartry», disse padre Hercule con bonomia, e precedette gli astanti.

Si ritrovarono in una sala dalle pareti ricoperte di mogano. Al centro, un catafalco. Nella bara giaceva un cadavere appena ricomposto: sorrideva, roseo e pettinato.

«Non sarebbe meglio seppellirli al naturale?», chiese con amarezza una bella signora di circa trent'anni.

«Mamma», disse il giovane dai capelli fluenti, «pensa se avessero seppellito il povero nonno così come lo abbiamo trovato l'altra sera. Dio mio, non scorderò mai quella orribile smorfia!»

«Ti prego Teuth», disse la donna, «non farmi ricordare...»

Frattanto Spade, il sacrestano di padre Hercule, aveva disposto alcune sedie ad anfiteatro e i convenuti si accomodarono. Padre Hercule sedette dietro la bara, le mani appoggiate ai bordi. «Mi ricorda il caso dei dieci piccoli armeni», non è vero, Spade? Ma riepiloghiamo. Signor Moriartry», disse rivolto al giovane dai capelli fluenti, «volete riassumere i fatti».

«Ecco», disse Teuth Moriartry, uno dei nipoti della vittima, «l'altra sera eravamo tutti riuniti per festeggiare il compleanno del nonno...».

«Veramente», disse un tipo dall'aria assente, «vostro nonno ci aveva riuniti per festeggiare il suo ennesimo miliardo...».

«Già», disse un giovane, di vent'anni, dalla capigliatura afro, «guadagnato nelle miniere sudafricane, in combutta coi fascisti dell'apartheid!».

«Siete comunista?», domandò con noncuranza padre Hercule.

«Per fortuna esiste ancora in questo paese un emendamento della costituzione che mi consente di non rispondere», disse seccamente il giovane.

«Il nostro giovane Pablo», disse un signore dai capelli candidi, «aveva certo idee diverse da quelle del nonno, ma è un bravo ragazzo».

«Che proprio l'altra mattina aveva avuto una discussione furiosa col nonno», disse con acredine Teuth.

«Sì, io ero il nipote cattivo, vero?», disse Pablo Moriartry. «Invece tu sei l'artista, l'anima bella, il musicista. Musica quella? Industria del suono per rimbecillire le masse! Il tuo laboratorio elettronico al piano di sopra, è una catena di montaggio sonora, puoi fare di tutto: musica per fare spavento, musica per fare innamorare, persino gli ultrasuoni! Credo che sarebbe roba buona anche per il Pentagono, forse per ammazzare le balene...»

«Io sono un artista. La mia colonna sonora per "Galactica 2" è piaciuta anche a John Cage! E tu sei un simbionese!», sibilò Teuth.

«Simbionese sarai tu», disse Pablo con calma, cercando di strangolarlo.

«Ragazzi, ragazzi», disse accoratamente la signora Moriartry, «tra fratelli!».

«Fratelli?», motteggiò Pablo. «Bella famiglia! Teuth aspettava solo che il nonno morisse per investire la sua parte di eredità in una rete di discoteche per rimbecillire le masse, e quanto al nostro fratellino Lou è già stato al manicomio tre volte...».

«Vi prego Pablo», disse conciliante il signore dai capelli candidi, «Lou è stato tre volte in osservazione da uno psicologo. È normale per ragazzi della sua età».

«Sì», ridacchiò il tipo dall'aria assente. «La prima volta perché aveva preso uno spillone per capelli dalla collezione di sua madre e lo aveva piantato nella nuca del gatto. La seconda perché aveva teso una corda lungo la scala a chiocciola da cui doveva scendere Battista. La terza perché aveva incrociato i fili nel laboratorio in modo da fulminare Teuth...».

«Questo è vero», intervenne un individuo dalla faccia patibolare.

«È duro fare il maggiordomo in casa Moriartry. Lou

sapeva che di solito scendo la scala a chiocciola senza accendere la luce e fu un miracolo se mi accorsi della corda. E quanto al contatto in laboratorio, io ho salvato la vita al signorino Teuth: perché so quanto sono delicate quelle macchine...».

«Se è per questo avete tentato più volte di rovinarmele, con la vostra mania di imitare gli artisti», disse Teuth.

«Anch'io mi sento artista, signorino Teuth», disse piccato il maggiordomo. «Sto cercando di sceneggiare ed incidere la storia della mia vita con effetti speciali».

«Sì», disse Pablo con disprezzo, «la storia di un lestofante. Se il nonno non vi assumeva, a quest'ora sareste nelle prigioni di Città del Capo».

«Mio Dio», disse Battista, «solo perché ho avuto una vita piena di esperienze...».

«Esperienze?», chiese sarcasticamente la signora Moriartry, «Diciamo pure delitti, Battista. Sappiamo che potevate vivere qui con un buon salario perché ricattavate mio padre...».

«Non è vero, è lui che mi obbligava a servirlo, ricattandomi!».

«Ma che bella famiglia», disse filosoficamente il tenente Vespucci.

«Per tutti i santi del paradiso, che cosa è questo?», chiese spaventato padre Hercule. Uno strano animale era balzato dal gruppo degli astanti, e ora stava ritto sulla bara, cercando di sbottonare la giacca al cadavere.

«È Trixie, mi è scappata!», gridò un ragazzino dall'aria volpina e dai denti sporgenti.

«Lou», urlò esasperata la signora Moriartry, «chi ti ha autorizzato a portare la scimmia al funerale?».

«Ma l'avevo messa nella borsa da ginnastica, mamma!»

«E vedi che ne è uscita. Lo sai che questo dannato animale è capace di far tutto quello che sa fare un cristiano!»

«Toglietemi questa scimmia di torno!», ordinò padre Hercule. Il signore dall'aria assente emise un comando con voce incolore: «Trixie, vieni qui». La scimmia obbedì. «Trixie», disse l'uomo, «torna nella borsa». L'animale eseguì senza proferir motto.

Il maggiordomo ritenne opportuno fornire qualche spiegazione a padre Hercule: «Trixie è la scimmietta del signorino Lou. Gli è stata regalata dal signor Koppelius», accennò al tipo dall'aria assente, «dopo la morte del gatto. Il signor Koppelius è proprietario di un circo...».

«Lo so», disse padre Hercule. «Lei era naturalmente presente a casa Moriartry l'altra sera, signor Koppelius».

«Eravamo tutti presenti, io, la signora, i tre nipoti e il dottor Maloney», disse Koppelius accennando al signore dai capelli candidi. «E naturalmente anche Battista. Erano le nove, si stava bevendo qualcosa e il signor Moriartry cominciò a dare segni di impazienza. Vedete, piovesse o facesse bel tempo, tutte le sere alle nove si ritirava nel suo studio ad ascoltare Wagner. Era un consiglio del dottor Maloney».

«Sì», confermò il dottore, «una mia terapia per i nervi...».

«E che cosa ascoltò di Wagner quella sera?», chiese il tenente Vespucci.

«Non so», disse Koppelius.

«Non udivate la musica dal soggiorno?», chiese padre Hercule.

«No, Moriartry usava un walkman».

«Ah», disse il tenente Vespucci, «quella diavoleria con gli auricolari e il... coso che si tiene alla cintura? Sapete, io non me ne intendo...».

«Con il lettore di cassette, o se volete col mangianastri alla cintura, o anche posato sul tavolo», disse con aria di compatimento Teuth. «Comunque se volete saperlo ascoltava il ''Lohengrin''. Quando lo trovammo morto e Battista mi diede il walkman da posare sulla scrivania...».

«Il signorino mi scusi», disse Battista, «io non gli tolsi il walkman».

«Voi foste il primo a entrare nella camera e a correre presso il cadavere».

«Sì, io aprii la porta per portare la legna; vidi il signore riverso, gridai, chiamai gli altri, poi lasciai cadere la legna e mi avvicinai al povero signore per prestargli soccorso. Credevo fosse svenuto».

«E allora chi gli tolse il walkman?», chiese padre Hercule con un fine sorriso.

«Io no», ripeté ostinatamente Battista.

«E io ripeto che qualcuno me lo passò», disse Teuth, «sia gli auricolari che il mangianastri, e posai tutto sulla scrivania. Solo dopo, mentre attendevamo la poliza, per curiosità guardai la cassetta e vidi che si trattava del ''Lohengrin''».

«Dunque il mangianastri non era sul tavolo», disse Vespucci.

«No», disse Battista, «quando trovai il signore disteso il mangianastri era accanto al corpo. Deve averlo trascinato con sé cadendo, sapete, è collegato con un filo agli auricolari...».

«Lo so, lo so», disse con sufficienza padre Hercule, «a differenza del tenente Vespucci io di questi aggeggi me ne intendo. Ma se il signor Teuth non mente, qualcuno gli deve aver tolto il walkman».

«Credo di essere stato io», disse Lou. «Feci per mettermelo alle orecchie, ma Teuth me lo strappò di mano dicendo che si trattava di una situazione seria e di non fare il buffone ...». Si mise a piangere.

«Potrei sbagliarmi», disse Pablo, «ma mi ricordo distintamente che il walkman lo raccolsi io e lo diedi a Battista».

«Impossibile», disse Battista, «io stavo aiutando il dottore a sbottonare la giacca del signor Moriartry».

«È vero», confermò il dottore, «io volevo auscultare il cuore ma nell'aprirgli la giacca vidi quella cosa rossa sul petto... Era la testa dello spillone, un rubino grosso come una nocciola... Lo spillone era lungo almeno quindici centimetri ed era piantato nel cuore! Naturalmente il signore era morto sul colpo».

«Impronte sul rubino?» chiese padre Hercule.

«La Scientifica ci sta ancora lavorando», disse il tenente.

«Sempre solerti e veloci voi della polizia», disse padre Hercule. «Ma riepiloghiamo. Dunque alle nove il signor Moriartry si ritira in studio e voi lo vedete vivo per l'ultima volta...».

«Non andò del tutto così», interruppe Battista. «Il signore entrò in studio una prima volta, sentì freddo e riuscì per chiedere al signor Koppelius di accendergli il caminetto. Il signor Koppelius parve contrariato...».

«È che non avevo voglia di alzarmi. Ma tutti mi considerano il mago dei caminetti», sorride Koppelius, «nessuno li sa accendere come me in modo che tirino alla perfezione. E poi il signor Moriartry si serviva di me come di un domestico, talora...».

«Perché»? chiese il tenente.

«Tenente», disse padre Hercule con commiserazione, «se le vostre indagini fossero state più accurate, sapreste che da tempo il circo del signor Koppelius si reggeva solo grazie ai finanziamenti del signor Moriartry».

«Perché non è un circo di massa come gli altri. Io non metto in scena elefanti o leoni che saltano nel cerchio. Le mie bestie sono veri artisti. Il gorilla lanciatore di coltelli, lo scimpanzé che suona la fisarmonica, due mandrilli che duellano col fioretto... È un circo d'avanguardia, ecco perché non fa soldi. Ma veniamo all'altra sera. Io andai in studio per accendere il caminetto e vidi che non c'era abbastanza legna dolce... Sapete, in queste cose io sono pignolo...».

«Strano, io avevo appena messo della legna dolce», borbottò Battista

«Non era quella giusta», rispose Koppelius, «voi non avete mai capito nulla di caminetti. Per questo vi dissi di andare a prendere altra legna nella legnaia in giardino».

«E io ubbidii, signore».

«Sì, ma stavate mettendoci un sacco di tempo, tanto che il signor Moriartry si seccò di attendere e entrò ugualmente in studio sbattendo la porta. Per questo vi venni a cercare».

«Non si accendeva la luce. Qualcuno aveva svitato la lampadina della legnaia, forse il signorino Lou. Ecco perché persi tempo. E dell'altro ne perdeste voi, signore. Sceglievate i legnetti come se fossero gioielli».

«Va bene, non è il caso di litigare», disse padre Hercule. «E poi?».

«Poi io salii con la legna, saranno state le nove e un quarto, aprii la porta dello studio...».

«Non era chiusa a chiave?» chiese sconcertato padre Hercule.

«Il signore non si chiudeva mai a chiave. E poi attendeva che gli si accendesse il caminetto.»

«Dunque non è un delitto in una camera chiusa», disse con disappunto padre Hercule. «Allora il caso non mi interessa più, è troppo semplice».

«Era come se fosse una camera chiusa», disse in tono conciliante il tenente Vespucci. «La finestra era chiusa ermeticamente dall'interno, e la porta rimase chiusa dal momento in cui la vittima entrò a quello in cui entrò Battista, mi pare che tutti siano pronti a confermarlo».

«Per l'esattezza», disse il dottor Maloney, «io non posso confermarlo, anche se mi fido degli altri. Cinque minuti dopo che il signor Moriartry era entrato io mi appisolai col mio bicchiere di bourbon in mano. Avevo mangiato troppo», si scusò. «Fui bruscamente risvegliato dal grido di Battista e mi precipitai anch'io in studio».

«Subito dopo?» chiese padre Hercule con aria sorniona.

«No», disse la signora Moriartry, «ricordo che io fui la prima a seguire Battista, o meglio, anzi sulla soglia mi scontrai con Teuth...».

«Io arrivai certamente per ultimo disse Maloney, «perché ero seduto in fondo al soggiorno. Ero stato seduto là a chiacchierare, con il povero Moriartry, prima che lui entrasse in studio, sorseggiavamo entrambi il nostro bourbon preferito. Ma fu un ritardo di secondi. Ricordo che entrando, ancor stordito dal pisolino, credetti che nello studio non ci fosse nessuno. Poi capii che tutti stavano chinati dietro la scrivania... Incespicai anzi nella legna che Battista aveva lasciato cadere sulla soglia, e un'altra volta in quella sparsa davanti al caminetto...».

«C'era legna davanti al caminetto?» chiese padre Hercule chiudendo gli occhi come un soriano.

«Probabilmente l'avevo sparsa io quando cercavo i pezzi adatti senza trovarli», disse Koppelius, «ma non credo di aver fatto tanto disordine. Forse gli altri entrando...».

«Qui ciascuno cerca di tirare in ballo gli altri per ogni minimo particolare, lo avete notato?», disse Pablo con disprezzo. «Tipico comportamento individualistico. Ma se tutti avevate buone ragioni per uccidere il nonno, suvvia! Tu, mamma, perché lo odiavi e non potevi perdonargli di aver fatto morire di crepacuore tua madre. Tu, Teuth, perché volevi i soldi. Lou perché è un pazzo criminale. Voi, dottor Maloney, perché avevate firmato al nonno un sacco di cambiali, da quando vi siete innamorato di quella spogliarellista di San Diego...».

«Tacete!» disse Maloney arrossendo.

«Voi, Koppelius», continuò Pablo implacabile, «perché so benissimo che il nonno aveva deciso di non finanziarvi più e di chiedervi indietro tutti i soldi che vi aveva dato per il vostro circo. Se volete chiamarlo circo... Una camera di tortura per animali indifesi, un luogo di umiliazione ecologica, ecco che cos'era. Dove avevate imparato le vostre tecniche, quando eravate con le SS?».

«Sporco comunista», sibilò Koppelius.

«E infine Battista», concluse Pablo. «Lui ricattava il nonno, ma anche il nonno lo teneva in pugno. Proprio tre giorni fa mi aveva detto che era stanco dei suoi ricatti e, costasse quel che doveva, lo avrebbe mandato sulla sedia elettrica!».

«Non è vero», gridò Battista, cinereo in volto. «E voi, signorino Pablo, non avevate buoni motivi per ucciderlo?».

«Basta così, signori», disse padre Hercule seccato. «Qui abbiamo un uomo che si ritira per quindici minuti in una camera chiusa, e poi viene trovato morto con uno spillone da cappelli nel cuore. Quando e da dove è entrato l'assassino?»

«Forse dal cielo», disse Vespucci.

«O forse non era una creatura umana», disse padre Hercule con l'aria di chi parla per caso.

«Oppure non era nemmeno una creatura...» disse il tenente.

«Siete così sciocco che talora avete delle buone idee», motteggiò padre Hercule.

«Non pensavo che fosse una buona idea», disse umilmente il tenente.

«Finiamola», disse padre Hercule, «ora vi dico come è morto il signor Moriartry».

«Lo posso dire anch'io», disse il tenente Vespucci.

A.I. Dupin
L'Espresso - 4 settembre 1983

Compilate la scheda.

DELITTO IN CAMERA APERTA

I personaggi: 1.

                 2.

                 3.

                 4.

                 5.

                 6.

                 7.

                 8.

                 9.

                 10.

                 ....

                 ....

I fatti

I moventi di ogni personaggio

Notizie sulla vittima

La scena del delitto

L'assassino: ipotesi possibili

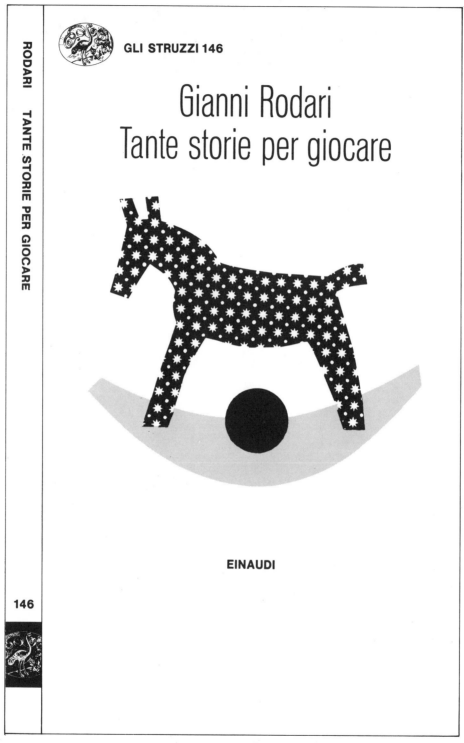

- *Inventate per le storie che sentirete il finale che preferite.*

- *Controllate se il vostro finale è compreso tra tre possibili alternative proposte dall'autore.*

- *Scegliete il finale che vi piace di più e spiegate il perchè.*

Ambiziosi?
No, sì, un po', anzi molto

Ascoltate la storia dall'insegnante e, alle pause, aiutate a proseguirla. Alla fine rispondete alle domande e leggete il responso che vi riguarda.

Queste le domande alle quali, rispondere

1 - *È sciocco il maragià a non accontentarsi e a voler ingrandire il suo regno?*

sì ☐   no ☐   non so ☐

2 - *Il pescatore Surya avrebbe potuto rinunciare alla sua quasi impossibile impresa?*

sì ☐   no ☐   non so ☐

3 - *Fa male la schiava Miran a sabotare la nave del maragià?*

sì ☐   no ☐   non so ☐

4 - *Il maragià avrebbe dovuto stare ai patti con il suo suddito?*

sì ☐   no ☐   non so ☐

5 - *È ingiusto che la bella Satavahana preferisca il lusso del maragià agli stenti del pescatore?*

sì ☐   no ☐   noh so ☐

6 - *È ingenua la schiava Miran a aspettare Surya sulla spiaggia con il diadema di lucciole?*

sì ☐   no ☐   non so ☐

7 - *Sbaglia Surya a rischiare la vita per strappare al vascello affondato un pugno di gioielli?*

sì ☐   no ☐   non so ☐

8 - *È condannabile Surya perché nella braccia di Miran si dimentica di tutto, compresa la bella Satavahana?*

sì ☐   no ☐   non so ☐

Ecco il punteggio e le interpretazioni

Assegnatevi 5 punti per ogni risposta no, zero punti per ogni sì e un punto per ogni non so. Fate la somma e andate a leggere il vostro punteggio.

Punteggio da 0 a 10 punti. Non si può proprio dire che siate ambiziosi; e se vi sforzaste di esserlo, non avreste tutte quelle caratteristiche psicologiche che consentono di assecondare una forte spinta verso il successo. Infatti non siete aggressivi e neppure autosufficienti. Non siete autoritari, non siete né avidi né insaziabili. Inoltre vi stancate presto e rinunciate alle conquiste troppo faticose. Tutto sommato, vivete serenamente e senza assilli.

Punteggio da 11 a 20 punti. Avete qualche ambizione, ma le armi per farvi largo fra gli altri sono un po' spuntate. La vostra aggressività ha breve durata e le vostre energie si esauriscono troppo presto. Avete qualche tendenza all'avidità, ma non abbastanza da afferrare tutto ciò che è a portata di mano. Sapete essere astuti, ma non vi piace vivere in mezzo agli intrighi. In fondo, avete molta umanità e forse questa è la vostra strada personale verso il successo.

Punteggio da 21 a 30 punti. Siete ambiziosi ma con alcuni punti deboli (quelli che vi rendono più simpatici). Siete aggressivi ed energici al punto di ottenere il giusto e non il troppo. Siete autoritari e autosufficienti, ma sapete anche abbandonarvi a qualcuno o a qualcosa, quando è necessario. Siete tenaci, ma non fino al fanatismo. Siete avidi, ma non fino all'insaziabilità. Avete scarse simpatie per gli altri, ma non li combattete per il gusto di umiliarli. Siete una personalità dominante, ma con dei princìpi che giustificano molte delle vostre azioni.

Punteggio da 31 a 40 punti. Siete ambiziosi al massimo grado, con tutte le virtù e tutti i difetti che ne derivano. Siete autosufficienti e aggressivi, con una volontà in grado di frantumare molti ostacoli. A volte la vanità vi fa velo, per cui tenete in troppa considerazione le adulazioni e le pompe inutili. Chi vi sta vicino deve guardarsi dalla vostra avidità e dalla vostra astuzia. Siete sempre insoddisfatti dei traguardi che raggiungete, per cui la vostra è una corsa che non finisce mai. Il presente vi sta stretto e il futuro vi attira. La vostra è una vita da dominatori, ma potrebbe rischiare di diventare un po' troppo solitaria.

Pino Gilioli

Grazia - luglio 1983

LEGGERE
PER
RACCOGLIERE INFORMAZIONI
E
IDEE

scuola

☐ la Repubblica
giovedì 12 settembre 1985

Nel resto d'Europa funziona così

PAESE	Ore settimanali		Materie		Settimana corta	Vacanze	Tipo di maturità e media dei bocciati
	Media	Superiori	Media	Superiori			
FRANCIA	24	32	8	9	NO	119 giorni	Esame finale su tutte le materie Bocciati: 33%
GERMANIA OCC.	31	35	13	13	NO con qualche eccezione	84 giorni	Sistemi diversi a seconda dell'indirizzo. Quattro materie d'obbligo Bocciati: dal 5 al 20%
GRAN BRETAGNA	25		9 o più		SI' con qualche eccezione	70-80 giorni	Esami a due stadi: 1° livello 2° livello Bocciati: 20% al 1° stadio, 25% al 2°
ITALIA	27	28	9	9	NO	112-115 giorni	Una materia fissa (italiano) e una sorteggiata per gli scritti, più due sorteggiate per gli orali Bocciati: 1-5%

Quando la pagella entra nelle nostre case

di GIGI DE FABIANI

Si parla tanto di scuola in questi giorni. Sono i giorni in cui la scuola riesce a penetrare tra le pareti domestiche. Sono arrivate puntuali le schede di valutazione e le pagelle. Anni fa arrivavano dopo il primo trimestre, al ritorno a scuola dopo la befana che si portava via tutte le feste e regalava le pagelle. Adesso le pagelle e le schede con i giudizi sono compilate dopo il primo quadrimestre.

Le pagelle che entrano in casa portano un po' di nostalgia nei genitori: ricordi di giovinezza, dell'aria « dei nostri tempi ». Voti scritti con il pennino della bella calligrafia dalle diligenti segretarie, voti nudi che avevano un linguaggio severo. Adesso ci sono i giudizi elaborati, scritti con la penna biro ultima moda e fino all'altro ieri un po' indulgenti.

In calce alle pagelle è rimasta la dicitura significativa: firma del padre o di chi ne fa le veci.

Pagelle e schede di valutazione sono un momento positivo per il rapporto famiglia-scuola e in particolare per un confronto, per un dialogo fra genitori e figli. Obbligano padri e madri a interessarsi, per qualche giorno, seriamente, della vita del figlio che non è solo quella del pane quotidiano. La pagella ob-

bliga il padre prodigo (quello del secondo lavoro, degli straordinari, delle sere spese solo per gli affari e per la riunione del condominio della seconda casa) al ritorno in famiglia con i figli che attendono non solo una firma, ma un consiglio, un aiuto, una correspon-sabilità. Cioè un po' di tempo di colui che sempre, anche nella banalità quotidiana, è padre, per non ritrovarsi ad essere padre per forza quando ridonare la vita diventa quasi impossibile.

Le pagelle che entrano nelle case in questi giorni confermano che molti professori sono ritornati alla linea di fermezza. Fioccano le insufficienze e i giudizi negativi sul comporta-

Attendendo le riforme
Ma a che serve ripetere sempre lo stesso rito?

di BENEDETTO VERTECCHI *

ROMA — I molti milioni di allievi che da oggi incominciano o riprendono a frequentare la scuola si chiederanno quale sia lo scopo dell'impegno che li attende. Ho l'impressione che rispondere oggi a queste domande sia più difficile di alcuni decenni fa, quando compivo a mia volta la stessa esperienza. Sapevo allora che impegnarmi a scuola era necessario per impadronirmi di un patrimonio di conoscenze e che avrei utilizzato quelle conoscenze da grande. Studiare era rassicurante e nello stesso tempo era un fattore di distinzione sociale: chi andava a scuola, e aveva la prospettiva di andarci per lungo tempo, capiva, anche se in modo non del tutto esplicito, che la sua esperienza di vita era qualitativamente diversa da quella dei suoi coetanei che avrebbero 'abbandonato' presto.

Certamente ben poco è rimasto di tutto questo ed è senz'altro bene che ciò sia accaduto. Quell'atteggiamento era rivelatore del carattere discriminatorio che aveva la formazione scolastica. Il suo attenuarsi, se non il suo completo venir meno, è un segno del progresso civile del paese. Tuttavia quell'atteggiamento era molto produttivo da un punto di vista scolastico: rendeva desiderabile l'andare a scuola e quindi semplificava il compito formativo. Oltre tutto gli allievi avevano consapevolezza del ruolo che assumevano nel contesto sociale e sapevano che cosa dovevano attendersi.

Ho l'impressione che oggi un ragazzo che volesse dare una risposta a domande come quella avanzata prima sarebbe in seria difficoltà. Se escludiamo i più piccoli che possono ripetere di andare a scuola per imparare a leggere e a scrivere (ed è una buona risposta, molto migliore di quella che potrebbero fornire ambiziosi e totali discorsi sull'educazione), gli altri non possono che essere dubbiosi. Sanno che la scuola dovrebbe essere diversa da quella che è, perché tutti continuano a dirlo; sanno che la cultura scolastica dovrebbe essere in grado di riflettere in modo molto più sensibile e fedele lo sviluppo delle conoscenze nel mondo contemporaneo, perché anche questo tutti continuano a ripeterlo. Ma se sono vere le cose che tutti dicono, comprese le previsioni non liete sulle loro future possibilità di trovare un lavoro e di uscire da quella marginalità protetta che è la scuola, perché non si traggono le conseguenze? Che senso ha riproporre anno dopo anno un rituale nei cui confronti esiste uno scetticismo così diffuso? Perché conservare senza cambiarla una struttura che si dichiara inadeguata alle necessità? Dovrebbero porsi questi problemi i molti Soloni che danno giudizi affrettati sulla serietà della scuola di una volta rispetto alla rilassatezza di quella attuale e che contrappongono l'impegno e la responsabilità (ammesso che ci fossero) degli allievi di una volta alla distrazione degli allievi di oggi. Oltretutto dire perché si va a scuola non è, nelle condizioni attuali, molto più facile per un adulto che per un ragazzo.

* Ordinario di Teoria e Storia della didattica Università di Roma

mento scolastico e sulla scarsa applicazione dei discepoli. Talvolta pare che la severità sia eccessiva. Qualcuno dice che, come negli anni dopo il '68 c'erano professori longanimi per paura di andare controcorrente, adesso qualche professore, con uno spirito un po' vendicativo, insiste troppo sul « cinque » o sul « quattro » per l'aria moderata del riflusso che non porta più contestazione o ribellione collettiva.

Dunque, bisogna saper parlare con i figli di quei voti, capire che cosa c'è dietro un brutto voto: crisi, sofferenze, malattie, solitudine, disaffezione, innamoramenti, droga.

Bisogna anche pretendere che il professore aiuti a capire l'insufficienza e si sforzi dunque di parlare con i genitori non solo con il registro di classe, ma anche con il cuore e con l'intelligenza dell'educatore.

E' capitato in un liceo blasonato di Milano: una ragazza con ottimo profitto nella scuola media, arrivata in prima liceo è bocciata per due anni consecutivi e deve lasciare la scuola. Non c'è stato professore, non c'è stato preside, non c'è stato alcun componente di organismo collegiale, che si sia sentito in dovere di chiamare il padre o « chi ne fa le veci ». Alla scolara bocciata era morta la madre. Un fatto... irrilevante per la scuola.

Le pagelle dovrebbero ravvivare il legame fra la scuola e la famiglia, con un po' di fantasia, per cambiare quei colloqui fra insegnante o genitori, così annoiati, così freddi, così burocratici. Le pagelle, le schede di valutazioni che arrivano in casa nostra, dovrebbero anche mutare il linguaggio dei padri e delle madri verso i figli. Si sente ancora ripetere: « Ai miei tempi », con le solite filastrocche. O, peggio ancora: « Se non studi, se non rimedi alle insufficienze, quest'estate non ti pagherò il viaggio con il soggiorno a Londra per imparare la lingua. Se non porti a casa una pagella senza insufficienze, ti sogni la motocicletta marca giapponese! ». O, peggio ancora: « Se ti bocciano, ti mando a lavorare e ti sbatto fuori di casa ». Bisogna « capire » che cosa si può fare per rimediare il voto negativo senza mettere mano ai portafogli e sgravarsi di un peso sullo stomaco mandando il figlio a ripetizione dal bravo professore, meglio se conoscente del professore di scuola.

La bella pagella diventa purtroppo per tante mamme motivo di orgoglio personale e, a volte, anche di « tenzone » e di malevolenze con altre mamme. « Mio figlio è il più bravo, mio figlio è sfortunato, colpa solo del professore che non lo può sopportare, mio figlio è un fenomeno. Mi spiace per le insufficienze del tuo. Poverino... ». Eccetera, eccetera.

Le pagelle che entrano nelle nostre case prima di tutto portano un voto, un giudizio su come un « insegnante » sa essere l'insegnante-educatore e in particolare su come i genitori sanno essere genitori non solo un giorno nella vita, ma ogni giorno. Soprattutto quando le pagelle e le schede sono brutte.

LETTERE AL CORRIERE

Settimana corta e scuole

Con il rispetto dovuto a quell'autentico maestro di vita che è Cesare Merzagora, vorrei esprimere qualche riserva sul suo suggerimento di adottare il sabato inglese nelle scuole italiane. Il senatore Merzagora non tiene presenti due fatti: primo, non è affatto vero che padri e madri hanno tutti il sabato libero. Per milioni di lavoratori ancora non è così, e naturalmente l'avere liberi i ragazzi il sabato costituirebbe una complicazione di più e per non poche lavoratrici madri la necessità forse di disertare il lavoro. Secondo (e più grave), la scuola italiana ha già il calendario più breve di tutta l'Europa, Grecia e Spagna incluse: accorciarlo ancora vorrebbe dire recare oggettivamente un colpo ulteriore a un degrado e a un disamore che è sotto gli occhi di tutti. Non dimentichiamo che i Paesi con la settimana corta tengono i ragazzi a scuola anche il pomeriggio. Perciò, per una volta almeno, la senatrice Falcucci farebbe benissimo a tener duro e a conservare senza rimpianti un calendario scolastico che appare il più opportuno e razionale nelle condizioni attuali della società italiana.

Rodolfo Tabacchi (Roma)

Cossiga a studenti, professori e famiglie

"Per tutti voi s'inizia una grande avventura"

di CLAUDIA TABOR

ROMA — Il presidente della Repubblica, Francesco Cossiga, in occasione dell'inizio dell' anno scolastico, ha inviato al ministro della Pubblica istruzione, Franca Falcucci, il seguente messaggio:

«Onorevole ministro della Pubblica istruzione,

«l'appuntamento che si ripete ogni anno con l'inizio delle lezioni segna un momento assai importante per la nazione e non solo per la scuola. Per questo è mio desiderio inviare un saluto cordiale a lei e, per il suo tramite, a tutti coloro che sono impegnati, ad ogni livello, in questa grande istituzione civile e culturale.

«Il mio pensiero particolarmente affettuoso, che si lega ai più cari ricordi personali, va agli studenti: tornare tra i banchi significa iniziare o riprendere un'esperienza in comune che è fondamentale per lo studio, ma ancora di più per la vita; approfondire il rapporto con la realtà umana e sociale che ci circonda; percorrere l'avventura emozionante della scoperta e dell'apprendimento.

«E sono vicino alle famiglie, con il loro carico di responsabilità, di speranze, di legittime attese.

«Il futuro dell'Italia — prosegue Cossiga — dipende in misura determinante dalla validità del nostro sistema educativo, dalla professionalità e dall'abnegazione di quanti vi si dedicano, dall'efficienza delle strutture, dalla qualità dei programmi e dal loro puntuale e intelligente svolgimento.

«Ma i giovani e i genitori devono avere sempre ben presente di essere una componente attiva della scuola. Essa potrà essere migliore e più giusta solo se la loro partecipazione e il loro impegno saranno pieni e costanti.

«Perché la scuola — campo in cui delicato e vitale è il compito dello stato democratico — raggiunga i suoi essenziali obiettivi così legati alla crescita civile, sociale e culturale del paese, è necessario che si realizzi una serena e operosa comunità di vita, di esperienza umana e di studio, in cui ciascuno svolga fino in fondo il suo specifico ruolo in un consapevole esercizio di doveri e di diritti.

«Un solidale augurio rivolgo a lei, onorevole ministro, ai suoi collaboratori, ai docenti di ogni ordine e grado, che della scuola sono insostituibile asse portante».

Il messaggio del presidente della Repubblica così continua: «E' stato detto, a ragione, che la più grande fortuna che possa capitare a un giovane è quella di imbattersi in un buon maestro. Spero che molti, anzi moltissimi, siano gli studenti che abbiano questo prezioso dono.

«Conosco le difficoltà che gli insegnanti devono affrontare nella loro quotidiana attività, ma conosco anche il loro spirito di sacrificio, la loro generosità, la loro preparazione.

«Altrettanto bene comprendo le difficoltà di tante famiglie, a cui la comunità e i poteri pubblici devono portare, anche per lo sviluppo della scuola, un'attenzione partecipe e risolutrice.

«Così come intendo con il cuore e con la mente le ansie, gli interessi, le delusioni dei giovani di fronte a una scuola ancora perfettibile e a una società per molti aspetti a loro misteriosa. Ricordino sempre di avere una grande forza e un grande orizzonte: un'età meravigliosa e un lungo futuro.

«Buon lavoro! Con viva cordialità».

Scuola, tanti abbandonano

Esistono due Italie, quella del Nord e quella del Sud - Nel Mezzogiorno le ripetenze sono quasi il doppio rispetto al Settentrione

«La povertà nella scuola» è il titolo di una ricerca del CENSIS che assume grande attualità nel momento in cui si parla di tagli alla spesa per l'istruzione. L'indagine ovviamente si occupa anche delle risorse e critica l'attuale metodo di ripartizione dei fondi che non tiene nel dovuto conto le situazioni socio-economiche delle varie aree geografiche.

Anche se abbiamo raggiunto livelli di diffusa scolarità nella fascia dell'obbligo scolastico (elementari e medie) in Italia l'eguaglianza delle opportunità sembra ancora assai lontana dall'essere raggiunta; le differenze sono tali da configurare l'esistenza di «due Italie» di fronte alla scuola: quella del Nord e l'altra del Sud; anche se all'interno di queste aree si trovano situazioni a loro volta molto articolate.

Più di 120 mila alunni ogni anno escono dalla scuola media senza conseguire la licenza. L'insuccesso scolastico è particolarmente sensibile nella prima media dove le ripetenze toccano il 12,2% e gli abbandoni un altro 4%. Ipotizzando l'abbandono legato ad una precedente bocciatura, si deduce che nella prima classe un alunno su sei viene giudicato negativamente. Il fenomeno investe anche la scuola secondaria superiore dove 28 studenti su 100 abbandonano nei primi due anni.

Nella prima media i tassi di ripetenza che sono il 9,1% al Nord salgono al 10,6% al Centro e al 15,8% al Sud, gli abbandoni al Nord sono l'1,8%, al Centro il 2,1%, al Sud il 7,9%. Queste percentuali diminuiscono di poco nella seconda media e negli esami di licenza si riducono intorno al 2%.

Per quanto riguarda le ripetenze è stata elaborata una mappa che divide le province italiane in cinque fasce. La situazione più grave si ha nelle isole; la regione che più preoccupa è la Sardegna dove tutte le province, esclusa Oristano, presentano tassi di ripetenze compresi tra il 75 e il 95 per mille. Segue la Sicilia (esclusa Messina) dove i tassi di ripetenze sono compresi tra il 55 e il 95 per mille. Ma preoccupano anche le situazioni di Foggia, Potenza, Matera, Cosenza, Catanzaro; e rientrano in questo quadro anche tre province montane: L'Aquila, Rieti e Aosta.

Le province in cui i tassi di ripetenze sono più bassi si concentrano in Veneto, Lombardia, Emilia-Romagna, Marche, Umbria.

Sono stati elaborati due «indici»: quello del «rischio educativo» che richiede un'azione che dovrebbe investire il territorio e l'ambiente di provenienza degli alunni e il «rischio del disagio» che richiede interventi alla scuola.

Le province dove è più alto il rischio educativo (fra l'1,5 e il 2,5) sono Caserta, Napoli e Potenza; tutte le altre province che rientrano nella fascia successiva (rischio fra lo 0,45 e l'1,49) appartengono a regioni meridionali e vi rientrano per intero Sardegna, Sicilia e Calabria. In questa fascia sono comprese anche Ferrara e Ancona. Le province a minor rischio sono quelle situate in Lombardia e in Emilia.

Un capitolo della ricerca è dedicato alle cause dell'insuccesso scolastico e riporta studi e indagini fatte anche in altri Paesi. E' scontato che la prima causa risale alle condizioni economiche della famiglia, ma ci sono fattori che attengono all'ambiente familiare e che sono stati raggruppati in queste categorie principali: gli atteggiamenti dei genitori nei confronti della scuola; il livello d'istruzione della famiglia; la grandezza della famiglia; la qualità delle cure materne; la disorganizzazione sociale; l'anormalità della convivenza.

Che cosa bisogna fare per eliminare questa «povertà scolastica»? Le ultime 22 pagine della ricerca sono dedicate agli interventi da adottare e viene precisato che non si tratta tanto d'investire nuove risorse, quanto di finalizzare meglio quelle esistenti, anche se sarà inevitabile prevedere un minimo di risorse aggiuntive. Non di rado gli interventi privilegiano aree che necessitano meno di un'azione compensativa, lasciando invece scoperte zone fortemente depresse.

Nelle conclusioni si cita l'esempio della Francia dove, pur essendo esigue le nuove risorse, si sono avviate iniziative di rilievo: a seguito della proposta governativa si è messo in moto un meccanismo che ha un «obiettivo» (quello della lotta all'insuccesso scolastico) e un «metodo» (quello integrato e per progetti) che sta dando buoni risultati.

Felice Froio

Una classe di alunni delle medie inferiori

(Foto Corsera)

DALLA PAGELLA NELLA BRACE

di Stefania Rossini

Giudizi stereotipati, genitori in difficoltà di fronte alle valutazioni dell'insegnante, alunni che non riescono a capire se hanno la sufficienza o no. Per questo c'è chi propone di riesumare il voto. Ed è subito polemica

Uno spettro si aggira tra i banchi delle scuole medie ed elementari. È un fantasma dalle fattezze antiche e rassicuranti, vestito di dati esatti e inoppugnabili: il voto. È infatti probabile che nel prossimo futuro i ragazzi della scuola dell'obbligo (nelle superiori il voto non è mai stato abolito) torneranno ad essere valutati freddamente e semplicemente con un numero dallo zero al dieci (anzi dal quattro all'otto, visto l'ingiustificato pudore che ha sempre accompagnato giudizi più drastici) e che le schede valutative, ormai in vigore da nove anni, andranno ad arricchire il cimitero italiano delle "buone idee mal realizzate".

Cacciato ingloriosamente nel 1977, quando fu abolito insieme alle tradizionali pagelle e agli ultimi umori selettivi di una scuola diventata per legge e per forza dei tempi "formativa", il voto rispunta oggi nell'ordine del giorno presentato dal senatore Pietro Scoppola e da altri sei parlamentari democristiani alla commissione Pubblica istruzione del Senato, già trasformato nella promessa di un disegno di legge da parte del governo. E cade come un fulmine a ciel sereno in una scuola che, dopo i primi anni di sconcerto, si andava abituando a considerare l'alunno non più un soggetto passivo su cui riversare un sapere codificato, ma un piccolo individuo in formazione da comprendere e seguire, stimolandone l'apprendimento e la maturazione, e valutandone i risultati senza sanzioni numeriche.

Certo, gli inizi erano stati duri. Privato di colpo del tranquillo sistema di simboli con cui aveva sempre gestito il rapporto con gli allievi, il docente più pigro si era visto sottrarre quel «bastone da maresciallo» che, come sottolinea Benedetto Vertecchi, professore di teoria e storia della didattica all'università di Ro-

ma, «era il suo unico emblema di status e il suo strumento prediletto di potere». Se prima, di fronte a uno scolaro indisciplinato, l'insegnante poteva minacciarlo con un "ti metto due!", come difendersi quando la nuova legge indicava di valutare «la disponibilità ad apprendere e la maturazione del senso di sé»? Non certo promettendogli un poco catastrofico «ti metto irruente», o, peggio, «ti qualifico aggressivo».

La traduzione dell'implicito giudizio psicologico e qualitativo che si era sempre nascosto dietro un numero, fu infatti il tirocinio più faticoso per tutti quei maestri e professori che non ebbero mai i promessi corsi di tecniche valutative o la fortuna di insegnare in quelle poche scuole sperimentali che suppliscono con la programmazione collettiva e il lavoro d'équipe alle carenze di formazione. Ne approfittò persino l'editoria didattica che sfornò (e continua a sfornare) volumetti di pronto soccorso con frasi fatte e aggettivazioni buone per tutti gli usi («occorre evitare che l'apprendimento sia semplicemente buono», prescrive ad esempio un volume di "Oggi scuola", «meglio definire l'intelligenza come "acuta, creativa, sintetica, teoretica, pratica, introversa, comunicativa», e così via) o anche schede smontabili con blocchi di giudizi che potevano essere disposti secondo gli incastri prescelti. Ci fu anche chi pensò a dei timbretti che stampigliassero senza fatica un "socievole e aperto" o un "incerto di fronte ai problemi".

Famiglie e alunni ripagarono gli insegnanti con la stessa moneta. Per anni lo sport scolastico più praticato dai ragazzi fu quello di riuscire a immaginare che voto si nascondesse dietro il più articolato e verboso dei giudizi: le «limitate possibilità a livello astrattivo unite a soddisfacenti capacità a livello esecutivo», saranno, ad esempio un sei meno o un

cinque e mezzo? La «lettura discreta ma non approfondita» varrà almeno una sufficienza? E le stesse valutazioni, consegnate poi nelle mani dei genitori, potevano dare come risultato il seguente dialogo, registrato, nel 1979, da Tullio De Mauro in una borgata romana durante una ricerca sulla comprensione dell'italiano: «Mi fijo c'ha ddue carenze e tre lacune. E il tuo?». «Il mio una carenza sola, ma anche uno scarso impegno».

Ma gli anni hanno addestrato gli inesperti e permesso di accettare e affinare gli elementi positivi di una riforma che la scuola di massa aveva reso improrogabile. È ormai raro che capitino episodi come quello riferito da Cesare Marchi nel suo "Impariamo l'italiano", che vide il padre di una ragazza di terza media di una scuola in provincia di Cagliari schiaffeggiare la figlia, rea di aver riportato il giudizio di "alunna introversa", subito interpretato come "poco seria".

L'attenzione è puntata, semmai, alle possibili modifiche di quella che Vertecchi definisce «una legge molto intelligente e molto mal applicata». «Quello che si chiede alla scuola», afferma, «non è poi così difficile: si chiede di non limitarsi più all'intuizione ma di usare tecniche valutative moderne, che, in tutto il resto del mondo occidentale, sono considerate una delle competenze richieste a ogni docente. La legge prescriveva solo l'abolizione dei voti, ma noi siamo passati tranquillamente alla pura descrizione verbale delle caratteristiche degli studenti».

«Di fronte alle scelleratezze di certe valutazioni», dice Giovanni Gozzer, uno dei più autorevoli esperti italiani di problemi scolastici, «persino il voto sembra una gran virtù. Ma il semplice ritorno indietro, sarebbe a questo punto la reazione imbecille alle difficoltà di andare avanti e allinearci agli altri paesi europei nella ricerca di un codice comprensibile e scientificamente vagliato».

Così ben pochi esultano per l'improvvisa sortita di Scoppola. A parte qualche intervento registrato dai giornali, come quello del sociologo Giovanni Becchelloni che sul "Messaggero" di Roma ha imputato al sistema attuale la pretesa di fare di ogni insegnante uno psicologo e di privare i ragazzi di un utile allenamento alla competizione reciproca, o come l'"Elogio del voto" pubblicato da Francesco Barone sulla "Stam-

È STATO UN FALLIMENTO
di Pietro Scoppola

È bastato un ordine del giorno a rompere una specie di incantesimo.

Da anni è in vigore nella scuola media il sistema di valutazione fondato sui giudizi individuali e non più sui vecchi voti in decimi. Il sistema era stato accolto con grande fiducia e speranza da professori giovani e famiglie, come una novità coerente con lo spirito della nuova scuola media e indubbiamente, sul piano teorico il sistema era ed è superiore rispetto al vecchio giudizio in decimi... ma non ha funzionato: solo in pochissimi casi si sono avuti giudizi veramente personalizzati; per lo più i giudizi sono stati ripetitivi e anonimi, formulati secondo schemi e moduli preordinati, non di rado, ed è l'ipotesi peggiore, sono diventati giudizi sulla intelligenza o sull'impegno morale e perciò capaci di ferire nel profondo i giovani, di offendere o umiliare le famiglie.

Tutti nella scuola sanno queste cose. Perché allora non porre il problema, non rompere il silenzio imbarazzato che da anni copre un fallimento.

Questo e solo questo ha fatto l'ordine del giorno, chiedendo al governo di studiare con sollecitudine il problema e presentare al Parlamento una proposta che innovi e corregga sulla base della esperienza di questi anni. Non dividiamoci dunque secondo schemi ideologici: non si tratta di una scelta teorica, si tratta più concretamente di sapere come le cose hanno funzionato e funzionano in Italia e se un sistema introdotto con obiettivi certamente validi sul piano pedagogico non ha dato luogo a storture e disfunzioni applicative tali da richiedere un ripensamento.

Si tornerà al vecchio voto? Non so. Personalmente non sarei contrario, perché, almeno il vecchio voto esprimeva solo una valutazione complessiva del rendimento, non colpiva la personalità dei giovani, non offendeva.

ITALIA / SCUOLA

pa'', è difficile trovare tra i docenti il sollievo che ci si potrebbe aspettare. La maggior parte si schernisce e propone parziali miglioramenti alla scheda del '77 insieme alla mai assolta richiesta di corsi formativi per insegnanti.

Sarà perché ormai la scheda è entrata nel costume come ''progressista e democratica'' e il voto come ''reazionario'' e ''selettivo''? O sarà, più seriamente, perché come sottolinea Gozzer, «il problema non è voto o scheda, ma quale scuola c'è dietro»?

Mentre nasce la polemica, che i più denunciano come artificiale, il dibattito degli addetti ai lavori si fa invece acceso su un'iniziativa di riforma uscita in sordina quattro mesi fa dal ministero della Pubblica Istruzione che ha inviato a 260 scuole medie una nuova scheda sperimenta-

Pietro Scoppola

le. Si tratta di una pagella — griglia con frasi già stampate per la valutazione e un punteggio in quattro lettere, da un massimo ''A'' (equivalente a ottimo) a un minimo ''D'' (che indica insufficiente). Il tentativo piace a Gozzer, che vi rintraccia il tentativo di un codice comune, ma già dispiace a Vertecchi che denuncia: «Chiamiamoli pure A, B, C o D, ma è come tornare ai voti, anzi a tanti quanti mai se ne sono avuti in passato». Per ogni materia sono infatti previste più ''voci'' (capacità di lettura, di sintesi, ecc.), alle quali dare un A o un B.

MA IO NON SONO UN PENTITO
di Tullio De Mauro

Pietro Scoppola diavolo d'un uomo. Non era ancora primavera che gli è venuta l'idea dell'anno: «Aboliamo le schede di valutazione della scuola media, torniamo anche qui al sano voto». Bravo senatore, dieci più.

Come si sa le strutture della scuola e università italiana risalgono (caso ormai unico nel Pianeta) ai tempi dei tram a cavalli, con ritocchi del tempo delle Isotta Fraschini. Il resto del Paese e del mondo è andato avanti. La scuola italiana no. Con un'eccezione: la media dell'obbligo.

Grazie a ripetute riforme di struttura e programmi, la media dell'obbligo cammina (se volete, magari, zoppica) con i nostri tempi. Il suo ammodernamento ha portato a chiedere ai suoi insegnanti di imparare a fare bene i conti tra i programmi generali da realizzare e i vincoli locali (numero e qualità degli allievi, tempo disponibile, obiettivi realmente raggiungibili), dichiarando esplicitamente tutto ciò (programmazione annuale) e valutando gli allievi in rapporto a tale programmazione, in modo circostanziato e analitico. Per famiglie, comunità, insegnanti la scheda di valutazione è, dunque, un rendiconto del complessivo lavoro fatto, sia dall'alunno sia anche, si noti, dall'insegnante.

Fuor di dubbio che ci siano problemi: migliorare le schede, preparare più specificamente gli insegnanti ad esse e, soprattutto, generalizzare anche alle elementari, alle superiori, all'università metodi di rendiconto analitico di quanto e come uno studente ha appreso (e un docente ha fatto).

Con fatica, la scuola cerca di andare avanti, anzi sta andando avanti. Scoppola ingrana la marcia indietro, cerca di tornare al passato. Quando rientra nell'università, dove gli si tiene in caldo una cattedra di storia contemporanea, gli si dia una cattedra di storia antica o, almeno, di storia vecchia.

Tullio De Mauro

Dodici ''voti in lettere'' per l'italiano, quattro per la storia, cinque per la matematica saranno davvero più comprensibili per migliaia di insegnanti e alunni? Ma forse alcune diciture andrebbero ridiscusse.

Come nel caso di quella impegnativa richiesta di punteggio sulla «consapevolezza del fondamento etico delle norme di vita sociale», contenuta in storia. O come quella della «capacità di cogliere i valori religiosi per la crescita della persona», riguardante la religione e dettata al ministero dal Vicariato. Dopo la prova nelle 260 scuole scelte per l'esperimento, il pagellone potrebbe essere adottato in tutti gli istituti italiani.

Nella ragnatela delle 624 caselle, alla fine però tirando una media, avremo almeno una certezza: un alunno di serie A o di serie C.

□

Spiegateci tutto, ma in privato

Insomma: a spulciare sui registri dei professori, l'Italia che conta alla scuola pubblica non deve nulla. Quella scuola che, per intenderci, il vicesegretario socialista Claudio Martelli ha definito senza peli sulla lingua «un continente senza autonomia, responsabilità, concorrenza, competizione»; una «deriva inarrestabile», un'azienda ingestibile che inghiotte ogni anno 30 mila miliardi, con risultati che i ragazzi dell'85 hanno sotto gli occhi ogni giorno. La riforma? Un miraggio: «Non sono bastati dieci anni per attuarla». Il monopolio statale dell'istruzione? «Un tabù assurdo per ogni paese liberal-democratico».

Parole chiare, quelle di Martelli. E altrettanto chiare le sue ricette: via libera alle scuole private e, asso nella manica, il buono-scuola: un finanziamento statale agli studenti, liberi di spenderselo nell'istituto preferito. Pubblico o privato, non importa.

Risultato: grande scandalo negli ambienti politici. Bufera sulle pagine dei quotidiani. Laici dai nomi illustri, come Norberto Bobbio e Asor Rosa, chiamati a raccolta in difesa del sacro principio dell'istruzione pubblica. Una rissa così non si vedeva dai tempi di Agostino Depretis, dal suo programma elettorale che 111 anni fa proponeva una scuola elementare laica, statale, soprattutto gratuita, e che tanto scalpore suscitò. Da destra, allora. Da sinistra, oggi.

Ma dalla base? Dagli studenti, dalle famiglie? Sorpresa: la scuola pubblica è tutt'altro che un bene sacro. Al punto che se la proposta Martelli andasse in porto, ci sarebbe un fuggi-fuggi mai visto dalle aule patrie, un esodo di proporzioni quasi bibliche: una famiglia su tre, sulle orme degli Agnelli, manderebbe i figli alle private.

A dirlo è un'indagine condotta dal Censis per conto del ministero alla Pubblica Istruzione. Alla domanda: se la scuola privata fosse gratuita, o se fosse prevista qualche forma di rimborso spese per l'iscrizione, dove mandereste i vostri figli?, ben il 34,5 per cento delle famiglie non ha avuto dubbi: alla scuola privata, appunto.

Ma che cosa ha di tanto speciale la scuola privata per sedurre così i genitori? Tante cose, secondo i dati di un'altra indagine svolta dal Censis e dal Cnr: su 2 mila famiglie intervistate, il 56 per cento la preferisce a quella pubblica per la «serietà degli studi», e il 47,5 per la «stabilità degli insegnanti». Altri punti determinanti, per i genitori, sono la mancanza di

Dice Martelli: le famiglie scelgano dove far studiare i figli. I laici gridano al tabù infranto dell'istruzione pubblica. Ma cosa offrono di speciale gli istituti a pagamento?

di Laura Maragnani

istituti simili nella propria zona, la preparazione degli insegnanti e, al quinto posto, l'«educazione morale».

Risultati sorprendenti, che danno i contorni di una domanda vasta, sì, ma anche esigente. L'offerta del mercato? Altrettanto vasta, buona per tutti i palati. I corsi e le scuole senza nessun riconoscimento legale, quelle che offrono il recupero degli anni perduti, che stipano spesso gli alunni in aule miserande ricavate da ex appartamenti, che magnificano specializzazioni d'avanguardia in informatica, computistica o stenodattilo, sono più di 2500. Quasi 1600 sono gli istituti secondari laici, in gran parte licei linguistici e istituti tecnici, concentrati nell'Italia del Centro-Nord (ma Roma, da sola, ne ha ben 130). Definirli è impossibile: è un magma in continuo sviluppo, dove convivono diplomifici come il «centro scolastico nazionale Settembrini» di Napoli (oggi sotto inchiesta), ma anche scuole modello come il Baron College di Torino, di cui la direttrice garantisce che è «bello da far paura». Ha solo 40 allievi («Tutti di ceto medio-alto»), divisi tra elementari e medie, laboratori, audiovisivi, vacanze in Gran Bretagna ogni anno, e ancora campi sportivi, corsi di dizione, di computer e di danza.

Ben diverse sono le impegnative, strarichieste, serissime scuole straniere («Qui scioperi e contestazioni non ce ne sono», assicura il preside della Deutsche Schule di Genova, 370 allievi, figli di avvocati, medici e docenti universitari). Le più note sono il celebratissimo liceo Chateaubriand di Roma, 1500 allievi di cui la metà italiani (altre scuole francesi sono a Milano, Napoli e Firenze), le scuole tedesche (3 mila iscritti tra Genova, Roma e Milano), i prestigiosi convitti come il Mary Mount di Roma o la St. Stephen School. Richiestissime anche le American School (a Milano, Firenze, Genova, Imperia, Pescara e Roma), prese d'assalto dai rampolli delle grandi famiglie industriali, che si preparano

così a ben più sfolgoranti studi nelle università statunitensi.

Private sono anche le oltre cento cooperative di genitori (quasi tutti cattolici, molti vicini al Movimento popolare) che autogestiscono elementari e materne (e persino qualche liceo) nell'Italia centro-settentrionale. «Sono diverse dalle scuole religiose tradizionali, dove è accentuata la conduzione gerarchica e non c'è molto spazio per la partecipazione dei genitori», assicura Gianfranco Lucini, milanese.

E per i più tradizionali? L'offerta è sterminata: ci sono gli istituti dell'Opus Dei, dei gesuiti, dei barnabiti, delle marcelline, ben 1531 istituti, ben 18.699 classi. Un esercito.

Il motivo? «**Non** credo di sbagliare dicendo che i genitori scelgono le nostre scuole per la buona educazione e perché c'è una garanzia di disciplina», spiega fratel Tullio, rettore del San Giuseppe di Torino. E gli fa eco a Milano padre Luigi Pretto, rettore del Leone XIII: «Al primo posto nelle motivazioni del successo della nostra scuola metterei la serietà degli studi, e solo al secondo la nostra proposta morale e religiosa. Ma contano molto anche attività integrative: inglese, informatica, sport...».

Buona educazione, rigore, disciplina. Ma c'è un aspetto delle scuole private che agli occhi del 53 per cento dei genitori che le hanno scelte è ancora più importante: le caratteristiche dell'ambiente sociale di provenienza degli studenti. Conferma padre Pretto: «L'ambiente conta molto, e così pure il fatto che qui si possano fare conoscenze utili».

I genitori accorti lo sanno bene: la scelta della scuola «giusta» rappresenta un grande strumento di promozione sociale.

Hanno collaborato:
Luca Argentieri, Giuseppe D'Avanzo,
Marisa Di Bartolo, Sergio Frigo,
Mario Lancisi, Franco Nicastro

La gita scolastica è un sussidio didattico o solo un'allegra scampagnata?

La gita scolastica - o viaggio d'istruzione come suggerisce anche di chiamarla il ministero della P.I. - è una esperienza utile, e che perciò va fatta, o costituisce solo una perdita di tempo, un intralcio all'attività didattica, oltretutto in un momento cruciale dell'anno scolastico (cioè i mesi primaverili)?

Sul piano teorico non ci sono dubbi: la gita scolastica è molto utile. Essa, infatti, può consentire ai ragazzi di approfondire dal vivo argomenti studiati solo sui libri e al tempo stesso di socializzare tra di loro, di conoscersi meglio, di conoscere meglio gli insegnanti perché offre un contesto diverso da quello dell'aula e della lezione. La gita, in definitiva, può essere un modo di fare scuola fuori della scuola, lontano dai registri e dalle interrogazioni, in un clima, quello della festa, senz'altro più congeniale ai giovani, siano essi alunni della scuola dell'obbligo o studenti delle superiori.

Non manca, però, chi fa osservare che nella pratica le cose stanno in modo un po' diverso. Molti insegnanti, ma anche genitori e studenti, ritengono che al tirar delle somme le gite si risolvono spesso in una perdita di tempo e di denaro perché solo raramente riescono a raggiungere l'obiettivo didattico che ci si era prefissato. Fatte quasi sempre a fine anno, le loro mete spesso non coincidono con gli argomenti trattati in quel periodo a scuola e perciò, anche se i luoghi visitati hanno di per sé grande rilevanza culturale e storica, essi finiscono per diventare solo occasioni per una inutile - almeno dal punto di vista scolastico - scampagnata.

Altro motivo che può renderle inutili è il fatto che le gite vengono troppo spesso affrontate senza adeguata preparazione (ad esempio si parte con destinazione Urbino e Gradara e magari i ragazzi non sanno nulla dei Montefeltro o di Francesca da Rimini), oppure non sono omogenee alla preparazione cul-

turale degli studenti. Ancora, molto spesso si portano insieme in gita ragazzi di età e classi diverse: il risultato più probabile sarà quello di provocare spaccature tra i «gitanti», di creare gruppi che avendo interessi culturali differenti finiscono per disturbarsi a vicenda.

Gite e viaggi d'istruzione, quindi, quando si fanno, vanno preparati con grande attenzione, tenendo presenti tutte le possibili sfumature. Oggi, ad esempio, certe mete, certe città i ragazzi le raggiungono - o possono raggiungerle - con i familiari o addirittura da soli o in compagnia di amici. Non c'è bisogno, perciò, che la scuola, pur con intenzione lodevole, si impegni in viaggi troppo lunghi o troppo dispendiosi; viaggi belli sulla carta, ma al tirar delle somme sfiancanti e noiosi. Forse, allora, è meglio che la scuola più che guardare alla gita in se stessa, si impegni ad insegnare il modo in cui debbono farsi le gite. Questo significa scegliere, anche in un eventuale viaggio di più giorni, poche ma significative mete (cosa che tra l'altro consente di scongiurare il rischio di una «saturazione da monumento o da museo»), far accostare i ragazzi a tutti gli aspetti e peculiarità di una regione, non solo quelli paesaggistici o artistici ma anche quelli sociali, economici,

folcloristici (nei limiti del possibile anche, perché no, alle specialità gastronomiche: non è ridicolo, ad esempio, arrivare in Romagna e mangiare la classica «milanese» con patatine fritte e coca-cola?). Portare i ragazzi in gita anche per insegnare loro a fare le gite può essere un compito della scuola.

Ma, forse, dal punto di vista della utilità didattica sono preferibili gite brevi ma più frequenti, distribuite in tutto l'arco dell'anno scolastico e quindi meglio finalizzate verso precisi obiettivi ed argomenti di studio e nelle quali siano coinvolte, di volta in volta, solo una o poche classi omogenee tra loro per età e soprattutto per interessi culturali. In questo caso veramente la gita può diventare un importante «sussidio didattico» e rivelarsi assai utile sia a chi deve insegnare sia a chi deve apprendere.

Emilio Vinciguerra
Grazia, aprile 1983

COME SALVARLI

di FRANCO GIUSTOLISI

La solitudine, la disperazione può portare una madre fino ad uccidere il figlio drogato. Si può combattere l'eroina? Lo Stato fa poco o nulla. Ci sono invece le comunità terapeutiche: vediamo come funzionano

Roma. Quella notte di tre anni fa Giovanna Lettini ritenne di chiudere drasticamente il lungo conto del dramma suo e della sua famiglia: il figlio drogato, che lei uccise a coltellate. E' stata processata in questi giorni e condannata a sei anni. « Sentenza mite », l'hanno definita i giornali. « Se questi casi diventassero frequenti », ha commentato l' "Osservatore Romano" « potrebbero condurre a una quasi depenalizzazione, generando la convinzione che ci si possa disfare dei tossicomani senza incorrere negli estremi rigori della giustizia ». Ma si uccide o non si uccide un figlio in relazione alla legge? Perché il codice condanna o assolve? Quella madre uscirà presto dal carcere, ma la sua condanna è a vita. Come quella di un' altra madre, Franca Corti: anche lei ha ucciso il figlio tossicomane, un paio di settimane fa. Un incubo che durava da dieci anni, dal giorno che cominciò ad apprendere sulla sua pelle cosa vuol dire quella parola di cinque lettere: droga. Le insistenze, le minacce, le violenze, i ricatti: « Mamma, ti prego ho bisogno dei soldi; non lo vedi? non ce la faccio più. Ti prometto, te lo giuro, questa è l'ultima volta, l'odio anch'io la droga... solo per l'ultima volta... se non mi dài i soldi spacco tutto ». Così giorno per giorno, giorni che valgono anni, e per anni. I furti in casa, le promesse, in un'altalena di sentimenti, di propositi, di tentativi.

Sempre più nel tunnel, anche loro, i genitori, senza speranza di vedere l'alba di un giorno diverso. La rovina economica per tante famiglie, ma il denaro è solo l'aspetto meno pesante: c'è quell'attesa, fatta di angoscia e, forse di liberazione, l' attesa della telefonata, qualcuno che avverte dell'overdose, del coma, della galera. Soli. A chi rivolgersi? C'è anche vergogna, ignoranza, indecisione, confusione. Il primo impulso è tenere tutto tra le quattro mura della famiglia. Ma il dramma è così grande, così esplosivo, che quelle quattro mura non riescono, non possono contenerlo. Allora comincia la trafila: il medico di famiglia, lo psicologo, lo psichiatra, l' Usl, alla ricerca della soluzione che a volte appare vicina, e che invece è sempre più lontana, sotto il bombardamento di slogan precotti e interessati nei quali, di volta in volta, tutte le colpe vengono addossate alla famiglia, alla società, alla mancanza di lavoro, all'emarginazione...

Poi ci si accorge che a drogarsi sono figli di famiglie unite e disgregate, giovani disoccupati e occupati, integrati e ai margini. E ragazzini, persino di 10-12 anni che certi problemi presumibilmente, neanche li conoscono per sentito dire: hanno cominciato a "farsi" perché qualcuno gli ha offerto la caramella della droga e loro hanno preso a succhiarla come una qualsiasi caramella. Intanto i morti di quest'inizio d'anno fanno presumere che si arriverà al raddoppio rispetto al 1983 (250), senza mettere in conto i tanti suicidi, omicidi, ferimenti, incidenti stradali riconducibili a questo fenomeno. Intanto si apprende che l'esercito dei tossicodipendenti ha dilatato enormemente i suoi effettivi: dai 180 ai 240 mila, secondo stime del Censis. E poi prosegue il dramma della solitudine e dell'impotenza.

« No, io non mi sento di condannare quelle due mie compagne di sventura », mi dice la madre di uno dei 240 mila. Una donna come tante. Ecco la sua storia: « Siamo una famiglia unita, mio figlio lavorava con noi al banco del mercato. Ogni tanto, è vero, si assentava, chiedeva dei soldi in più. Ma si diceva con mio marito: sono giovani, vogliono divertirsi, ne hanno il diritto... Poi, un giorno, qualcuno ci telefonò, ci avvertì che era finito in galera, per uno scippo. Andammo a trovarlo e ci raccontò che erano ormai quattro anni che si faceva. Gli chiesi perché, fu onesto, non invocò scuse, la famiglia, la società: aveva cominciato per caso con uno spinello "e alla fine mi ritrovai" — mi disse — "con la siringa infilata nel braccio senza neanche sapere come". Che ne sapevo io, allora, di questa parola, la droga? Quando il ragazzo uscì dal carcere, lo portai in ospedale, pensavo che lì l'avrebbero curato, ma dopo un paio di giorni me lo vidi tornare in taxi, con le valige. Disse "mamma, ora sto bene, non ti preoccupare". Stava bene... Ormai sono sei anni d'inferno, per questo non mi sento di condannare quelle due madri. Ci ho pensato anch'io, tante volte, un po' per lui, un po' per mio marito, un po' per gli altri figli, un po' anche per me... Ma lei sa cosa vuol dire avere un drogato in casa? Si guardi intorno, noi stavamo bene, guadagnavamo bene con il banco al mercato, cerchi una pagliuzza d'oro, gli ori della famiglia: non ne troverà. Abbiamo dovuto chiudere anche il banco... ma non ce ne importa molto. Quello che lentamente, purtroppo, ci uccide, è che questo dramma è senza fine. Le ho tentate tutte: ancora l'ospedale, poi la clinica, con lui, povero figlio, che diceva che odiava la droga e voleva liberarsene... Ma era la volontà di un attimo, poi la ruota lo riprendeva e andava a farsi, rubando in casa, fuori di casa, dove gli capitava. Con l'incubo del telefono, odio anche quello, ora: fissarlo per giornate intere, sobbalzare allo squillo, oddio mi telefonano che è morto. Anche la Usl, dove gli danno il metadone. A che serve? Lui andava a prenderlo che già si era fatto e dopo che lo aveva preso si faceva ancora. A che servono queste Usl? Poi lo rimisero in galera, andai da Vincenzo Muccioli, quello che ha messo su la comunità di San Patrignano, lui riuscì a tirarlo fuori e lo tenne in comunità per otto mesi: allora sì che stava bene e che cominciava a dar segni veri di una diversa volontà. Ma i carabinieri se lo vennero a riprendere, doveva scontare ancora sei mesi. E ricominciò. Lo cacciammo di casa, ma dopo tre giorni andai a cercarlo insieme a mio marito. Era pieno di droga come un tamburo, ridotto pelle e ossa, tutto testa, una specie di scheletro... Ora è di nuovo in galera e io sono quasi tranquilla... Uscirà tra 15 giorni e io non so che fare, spero che possano accoglierlo in una comunità, a San Patrignano o una simile. Hanno ragione quelli della Lenad: i tossicodipendenti non hanno volontà. In qualche modo bisogna sostenerli, aiutarli, costringerli, specie i primi tempi ».

San Patrignano, Lenad: poi ne parleremo. Vediamo prima cosa di cono altri genitori: ce n'è una ventina radunati in una saletta della circoscrizione di Primavalle, il quartiere romano in cui si è sviluppata una battaglia contro la droga. Quei genitori non vogliono più sentire parlare di Usl e di metadone («...che è solo una droga in più»), di permissivismo e di sociologismi. Invocano a gran voce una cosa sola: che un qualcuno o un qualcosa obblighi i loro figli a curarsi, mettendoli nelle condizioni di farlo, imponendogli la cura sino a guarigione avvenuta. Dicono tutti insieme: « Le comunità protette sono l'unico mezzo. Bisogna decidersi prima che l'epidemia della droga si propaghi ancor di più ».

LE COMUNITA' TERAPEUTICHE. Sono circa 120, in stragrande maggioranza private, gestite da religiosi o laici, che sopravvivono alla meno peggio grazie a contributi statali, regionali o di singole persone. Si calcola che vi sono ricoverati poco più di duemila tossicodipendenti. Le più note, tra grandi, piccole e medie, San Patrignano, a due passi da Rimini; Ceis (Centro italiano di solidarietà), diretta da don Mario Picchi (sede a Roma, diramazioni in molte altre città: Firenze, Genova, Napoli, Lucca, Verona, Spoleto, Viterbo, Piacenza, Modena, Reggio Emilia, Bolzano): "Incontro", diretta da don Pierino Gelmini (sede a Roma, diramazione in varie città); Mondo X di frate Eligio, con sede a Milano; Comunità Gradara di Pesaro; Gruppo Abele di Torino; Comunità Capitanio di Bergamo (solo per ragazze); Comunità di padre Truden, a Siracusa. Sistemi diversi, "protezione" diversa, dalla comunità in un certo senso più "chiusa", che è San Patrignano, a quella più "liberal", l'Abele di Torino. Però con un minimo di denominatore comune: il rapporto costante, continuo tra malati e coloro che cercano di tirarli fuori dal tunnel. Non siamo nelle Usl: niente orari di ufficio, niente burocrazia. Dice Vincenzo Muccioli, creatore della Comunità di San Patrignano: « Il

perché di questa iniziativa? Vedevo i drogati che mi morivano intorno, li vedevo nel Tempietto di Sant'Antonio, a Rimini, che si bucavano e cadevano in terra e la gente neanche si fermava. Ora in comunità ci sono 410 ragazzi, il che vuol dire che così vengono sottratti al mercato dell'eroina dagli 80 ai 100 miliardi l'anno. Il che vuol dire anche che si sottraggono dal mercato dei reati 410 potenziali predoni, perché un tossicodipendente può arrivare a tutto. Mi accusano di creare dei "comunitàdipendenti", ma di questi 410, ottantatré sono iscritti all'università, vivono in appartamenti che abbiamo preso per loro

E I MINISTRI COSA FANNO?

Roma. Come combattere il diffondersi della droga? Lo abbiamo chiesto a due ministri interessati al problema: il titolare della Sanità, Costante Degan, e il titolare dell'Interno, Oscar Luigi Scalfaro. Dice Degan: « Il governo è pronto a fornire un suo contributo alla modifica della legge sulla droga. Personalmente ritengo che la strada migliore sia quella di sollecitare le iniziative di controllo e di recupero sociale. La droga infatti non è un problema né strettamente sanitario né solo poliziesco, ma un drammatico impegno di recupero civile nel quale dovranno avere sempre più spazio le comunità terapeutiche ».

Scalfaro non ritiene opportuno arrivare alla coercizione della cura. « In una cura disintossicante », dice, « l'elemento decisivo è dato dalla volontà, dal convincimento di volersi liberare dalla droga. Certo è necessario un ripensamento delle strutture sociali, ma non tutto può venire dallo Stato. Un ruolo notevole spetta al "volontariato", all'atto generoso di gruppi di persone (le comunità terapeutiche, le madri di Primavalle...) che sappiano e possano impegnarsi in questa opera umanitaria, naturalmente coperti e assistiti dalle strutture pubbliche ».

a Padova e altrove: a San Patrignano tornano il sabato sera. Poi un giorno (mi auguro e so al più presto) non torneranno più neanche il sabato perché saranno usciti definitivamente dal tunnel. Altri 130 lavorano in comunità, ma hanno continui rapporti esterni che li portano fuori, spesso per tutta la giornata. Qualcuno di quelli che erano usciti definitivamente, è tornato, ma pochi, molto pochi. Ed è assai importante che quei pochissimi siano tornati di loro volontà ». Muccioli è stato rinviato a giudizio per sequestro di persona e definito individuo socialmente pericoloso: è stato accusato di tenere a forza anche quei tossicodipendenti che volevano andarsene: « E' vero, se qualcuno vuole andarsene quando è in crisi di astinenza, io e gli altri cerchiamo di convincerlo. Se non ci riesce, lo chiudiamo in una stanza, mi metto io o un altro con lui, dobbiamo evitare che fugga e che finisca come tanti altri di cui si legge sulle cronache dei giornali. Il sostituto procuratore della Repubblica di Rimini, Roberto Savio, mandò qui la polizia che "liberò" quattro ragazzi. Gli dettero il foglio di via. Uno si è ucciso gettandosi sotto il treno, gli altri tre o sono raminghi o in galera... Io non ho presunzione di dare "la risposta" al problema, ma mi batto per dare una risposta ».

Don Mario Picchi, prete in borghese, ha girato il mondo per capire e apprendere, poi ha creato il Ceis, il cui programma terapeutico è la risultante, con qualche modifica, dei sistemi americani. Il programma è diviso in tre parti: 1) "A" per accoglienza; 2) "CT" per comunità terapeutica; 3) "R" per rientro. Il periodo in "A" dura dai quattro ai cinque mesi. E' una specie di "day care": i tossicodipendenti stanno per tre, quattro ore al giorno nella sede del Ceis dove il personale specializzato, uscito dalle scuole di formazione dello stesso Centro, cerca di dare le prime risposte al malato, infondergli fiducia, responsabilizzarlo. Poi si passa in "CT", la comunità vera e propria, dove la permanenza dura in media dai nove ai dodici mesi. Infine l'ultima fase, in "R", dove gli ex tossicodipendenti cominciano a muovere i primi passi verso l'esterno, tornando al lavoro, alla famiglia e alla scuola. Sono circa 400, attualmente, i tossicodipendenti presenti nelle tre fasi del Ceis di Roma. « Anche se la terapia è di gruppo », dice don Picchi, « ogni cammino è personalizzato e la permanenza in "A" delle volte deve essere più lunga del necessario perché l'ingresso in "CT" dei nuovi non deve avvenire più di uno alla volta, altrimenti si rischierebbe di turbare degli equilibri, magari appena faticosamente raggiunti. Statistiche? In "A" si perde il 20-25 per cento, se ne vanno, non si sa come fermarli. In "CT" la perdita è molto minore: un dieci per cento, ma con un ritorno del cinque per cento. Quando vogliono andarsene in questa fase, li invitiamo prima a riflettere, poi il direttore gli parlerà a lungo, gli parleranno anche gli altri tossicodipendenti. Se ancora insiste, metteremo prima al corrente i genitori... molte volte tutti questi accorgimenti ben determinati riescono a convincere. Nella terza fase, in "R", la perdita è minima: l'uno, al massimo il due per cento ».

La Lenad, Lega nazionale antidroga, sede a Torino (vi aderiscono migliaia di genitori di drogati) si è posto il problema dell'obbligo della cura per almeno una parte dei tossicodipendenti. Dice Piera Piatti, psicologa, collaboratrice di Basaglia nell'esperienza del manicomio aperto di Gorizia, della segreteria nazionale della Lenad: « Come madre, ho alle spalle un'esperienza diretta, ormai da tempo felicemente superata. Noi crediamo che con una certa determinazione e un po' di astuzia si possa riuscire a far accettare la cura al 70-80 per cento dei tossicodipendenti. Ne sono felici anche loro, dopo il primo periodo. Inutile perdere il tempo nei sottili distinguo sulla volontà del soggetto, non farlo diventare oggetto... La Lenad ha messo a punto un progetto di legge di iniziativa popolare che pensiamo di lanciare tra un mese. Questi i punti qualificanti: 1) cura in alternativa al carcere per tutti quei tossicodipendenti che abbiano commesso reati di lieve entità, che cioè non hanno comportato violenze o lesioni gravi alle persone; 2) deve essere punito il possesso di droga anche per uso proprio. Se ne è proibita la vendita, deve anche esserne proibito l'acquisto e la detenzione. Questo per individuare e scoraggiare i piccoli spacciatori e come deterrente; 3) niente farmaci alternativi, tipo metadone, o morfina: si tratta di vere e proprie droghe, non ci si cura dalla droga con altre droghe· 4) creazione di comunità pubbliche; 5) albo delle comunità e loro caratteristiche. Lo so, c'è già chi ci chiama nazisti. Ma gli altri sistemi, quanti morti hanno fatto? Quanti ne faranno ancora? ».

FRANCO GIUSTOLISI

L'ESPRESSO - 5 FEBBRAIO 1984

PIÙ USL E MENO CARCERE

Roma. Finalmente alla Camera è giunto il momento del voto per la legge-stralcio sulla droga partorita come un topolino dal progetto presentato nell'ottobre dell'anno scorso dalla presidenza del Consiglio. Si propone di distribuire alle comunità terapeutiche i cinquanta miliardi già stanziati nella legge finanziaria e di risolvere il drammatico problema dei tossicodipendenti detenuti o colpiti da mandato di cattura offrendo loro l'alternativa del ricovero. Cure invece di carcere (ma solo per i reati fino a tre anni).

«È su questo punto che ci siamo arenati», spiega il sottosegretario all'Interno Raffaele Costa; «si prevedeva di inviare il tossicodipendente in comunità, per il recupero. Ma sul concetto di comunità e sui requisiti che questa deve avere sono nati i primi intoppi. Così, visto che il tempo stringe, ho presentato un emendamento sostitutivo secondo il quale il drogato detenuto sarà affidato al servizio sociale.

Caso per caso si deciderà poi se deve restare in comunità o rivolgersi per le cure al presidio ospedaliero. La settimana scorsa l'accordo sembrava raggiunto. Poi sono fioccati i dubbi: come accertarsi, per esempio, che il tossicodipendente non sia un falsario, un delinquente comune che per evitare il carcere sceglie di farsi passare per drogato? Perciò abbiamo preso tempo per riformulare meglio questo punto. E ora speriamo di approvarlo questo benedetto decreto».

L'ESPRESSO - 16 GIUGNO 1985

Un biberon pieno di droga

di GIOVANNI MARIA PACE

I figli delle eroinomani nascono intossicati. Occorre recuperarli: le terapie esistono e si mostrano efficaci. Ma gli ospedali italiani ne conoscono l'uso? Il recente caso del piccolo Luca autorizza qualche dubbio

Milano. Nell'ambito delle tossicodipendenze c'è un problema che oramai assume proporzioni rilevanti e che gli ospedali non riescono, nel complesso, a risolvere: il problema dei bambini che nascono drogati. Il ferragosto degli italiani è stato turbato da una vicenda, quella di Luca Matteo, il lattante eroinomane trasportato d'urgenza all'ospedale di Niguarda, in coma per "overdose". Scampato il pericolo, il piccolo Luca è stato consegnato alla nonna, non alla madre tossicomane, che la Giustizia ha inteso così punire per aver somministrato al piccino che piangeva il calmante a lei più congeniale: l'eroina. Eppure, a parte la dose eccessiva, l'idea di curare il bambino drogato con la droga non è sbagliata, anzi è tecnicamente più corretta di certe terapie somministrate in questi casi dagli ospedali. Vediamo.

Il piccolo Luca nasce da una ragazza-madre, Maria Antonietta, che si buca da anni e continua a bucarsi durante la gravidanza. Al momento di vedere la luce, Luca è dunque un eroinomane quanto e più della madre. Perché di più? «La droga», dice il professor Gianluigi Gessa, neuropsicofarmacologo all'università di Cagliari, «passa dal circolo materno a quello fetale attraverso la placenta. Ma nella madre la barriera ematoencefalica, cioè il filtro che difende il cervello dalle sostanze estranee, è sviluppata come in ogni adulto mentre nel nascituro è immatura e molto permeabile. Avviene così che, a parità di condizioni, cioè di dosi, il feto sviluppi una dipendenza dall'eroina molto maggiore della madre».

Alla nascita il piccolo eroinomane, privato del rifornimento che gli

una giovane tossicomane osserva il figlio in incubatrice

giungeva attraverso il sangue materno, entra in crisi di astinenza, proprio come un tossicodipendente adulto che non riesce a "farsi". La crisi si manifesta dapprima in modo acuto, con nervosismo, diarrea, la tipica pelle d'oca, come accade in questi casi, e in più con il pianto, che è poi l'unico modo di comunicare del bambino. Un pianto ostinato, disperato. Il piccolo chiede aiuto, trovandosi a sperimentare uno stato di carenza che, pur non essendo di solito mortale, ha fatto dire a tanti che lo hanno sperimentato: avrei voluto morire. La fase acuta dura alcuni giorni. Per superarla il piccolo Luca viene ricoverato, subito dopo il parto, in un reparto della clinica Mangiagalli dove hanno già trattato, in questi anni, centocinquanta neonati eroinomani come lui. In che modo?

«Dal punto di vista biologico», dice il professor Gessa, che è anche presidente della Società italiana di neuroscienze, «il tossicodipendente in astinenza è come il diabetico che ha bisogno di insulina. Gli occorre cioè la sostanza che non produce a sufficienza o non produce più. Que-

sta sostanza, nell'eroinomane, sono le endorfine». Per neutralizzare i piccoli dolori, gli spasmi, le contratture che punteggiano l'esistenza di ogni organismo vivente, il nostro cervello secerne morfine naturali, chiamate appunto endorfine, che hanno effetto calmante e analgesico. La produzione di endorfine viene anche incentivata, com'è ovvio, da situazioni esterne appropriate, che definiamo appunto piacevoli. Quando a questo meccanismo naturale se ne sovrappone uno esogeno — la morfina iniettata — la secrezione primaria è come se venisse paralizzata, esclusa. E al venir meno del fattore esterno di piacere, l'organismo resta scoperto, piomba nel malessere. La terapia deve consistere allora nella somministrazione di un sostituto della morfina, che però non abbia di questa i pesanti effetti. Qual è la sostanza più adatta?

Nel reparto della Mangiagalli dove Luca è approdato usano — così ha dichiarato una dottoressa — «sedativi a tutto spiano, a volte acido paregorico [un derivato dell'oppio,

103

ndr.] per quindici, venti, venticinque giorni, a seconda del grado di intossicazione». In altri ospedali danno solo sedativi, che possono essere benzodiazepine (i comuni tranquillanti) o addirittura barbiturici, i potenti soporiferi che i suicidi scelgono talvolta per porre fine ai loro giorni. Questi palliativi, per altro tossici, queste mezze misure non trovano altra giustificazione, non hanno altra funzione che salvare l'anima ai medici, i quali possono così dichiarare di non dare stupefacenti ai bambini. Ma la vera cura è un'altra. «Negli Stati Uniti e nei paesi più avanti di noi nella lotta alla droga», dice Gessa, «usano il metadone, il surrogato dell'eroina che attenua i disturbi e, somministrato in dosi decrescenti, ottiene il divezzamento». Perché scandalizzarsi? Un bambino rimasto per nove mesi esposto all'eroina nel ventre materno non può venire ulteriormente danneggiato da un surrogato, il metadone appunto, che si somministra tra l'altro per bocca.

Dopo la fase acuta, la crisi di astinenza assume un decorso lento, vischioso, che può durare mesi. La sofferenza è meno forte, ma sembra non passare mai. Il tossicomane bambino, trovandosi nello stato in cui si trova solo per il condizionamento neurochimico al quale è stato sottoposto, è più facile da recuperare dell'adulto, la cui inclinazione alla droga è più forte e dipende anche da fattori sociali e culturali. Il neonato eroinomane può però, da adulto, soffrire di turbe nervose e cadere più facilmente nella pania della droga. Perché?

«Durante la vita fetale», risponde il professor Gessa, «nel cervello del bambino si creano, in modo tumultuoso, circuiti nervosi che si conserveranno nel cervello dell'adulto. Non sappiamo come, ma la presenza di un neurotrasmettitore esogeno come l'eroina [i neurotrasmettitori sono le sostanze con cui le cellule cerebrali comunicano tra loro, ndr.] sembra interferire nell'ordinato sviluppo di questi circuiti».

Si potrebbe ipotizzare la presenza, nel cervello del tossicomane precoce, di un maggior numero di recettori, cioè di più luoghi dove l'eroina vada ad agganciarsi. Sta di fatto che i figli dei drogati si drogano più facilmente. Altri danni nel neonato non sono identificabili, anche se non si può escludere che esistano. I "figli della siringa" vengono al mondo in condizioni così precarie, da madri così deperite che è difficile distinguere gli effetti diretti della droga dallo stato di sofferenza generale dell'infante.

Emilio Vinciguerra

Grazia - aprile 1983

HASCISC, MARIJUANA E DINTORNI

colloquio con PIER MARIA FURLAN

Quali rischi corre il neonato se la madre è tossicodipendente da cocaina? Se abusa di psicofarmaci? Se fuma abitualmente marijuana o hascisc? Lo abbiamo chiesto al professor Pier Maria Furlan, titolare della terza cattedra di psichiatria all'università di Torino e ricercatore del Cnr per la terapia della droga.

L'assunzione di cocaina della madre può determinare crisi d'astinenza nel bambino?

«In genere no. La cocaina, nell'adulto, non crea le crisi d'astinenza che provoca l'eroina. La crisi da cocaina è del tipo psicologico, il soggetto si deprime perché non ha più un eccitante. Tuttavia, proprio perché incide comunque sul corpo, provocando aumento della pressione sanguigna e del battito cardiaco, la cocaina determina un'alterazione della resistenza delle pareti arteriose e venose. E questo può causare, nel feto, disturbi circolatori che si vedono a distanza di anni. Secondo la dottoressa Loretta Finnigan, dell'università di Filadelfia, pare anche che i figli dei cocainomani accusino disturbi cerebrali».

E quando la madre prende psicofarmaci?

«L'abuso di psicofarmaci è recente, perciò non abbiamo delle statistiche attendibili. In genere, la placenta oppone una certa resistenza agli psicofarmaci. Se le dosi sono massicce, il feto ne risente comunque e presumiamo che i bambini abbiano poi ritardi nello sviluppo».

Cosa accade con le droghe assunte via "fumo"?

«Decenni di ricerche in America, dove sono molto diffuse droghe come hascisc e marijuana, dicono che il neonato non corre rischi. Il vero problema, oggi, è che i tossicomani mescolano la droga con i barbiturici e con gli psicofarmaci. In più, sono quasi tutti alcolizzati. E malnutriti, in genere. I loro bambini nascono perciò con il fegato a pezzi, soprattutto privi di quelle difese immunitarie che ogni neonato riceve dalla madre nei primi sei mesi di vita».

R. T.

droga: parliamone insieme/risponde Piera Piatti

Un parere che speriamo non sia condiviso

Ho venticinque anni e sono stufa di sentir parlare di eroina e di liberalizzazione; io non so perché quando si parla di droga si parli sempre di eroina. Io da sette anni faccio spinelli e posso dire che non è vero che se si comincia con quelli poi ci si buca: è solo questione di avere sale in zucca. Io vorrei la pena di morte per gli spacciatori, e per i tossicodipendenti metterei sei mesi di cura obbligatoria, dopo i quali se scappano e non vogliono continuare a curarsi li brucerei tutti. Adesso ci saranno delle mamme inorridite, ma cosa c'è di più orrendo di vedere i propri figli sfatti e distrutti, anche se secondo me sono dei deficienti mentali, perché non si può, quasi nel duemila, con televisione, giornali e scuola che ti mettono in guardia contro l'eroina, cascarci ancora dentro. L'imbecillità di queste persone dovrebbe essere presa in considerazione e far dire: *vuoi* curarti bene, *non* vuoi, allora via, tutti nei forni crematori, tutti saponette. Scrivo queste cose perché di tossici ne conosco tanti, amici e non, e sono tutti della stessa pasta: falsi, ipocriti, infami, ladri che ti fregano appena possono, genitore o amico che tu sia. Quindi parliamoci chiaro: io pur se fumo spinelli tutti i giorni non sono come loro, anche se l'ignoranza della gente mi giudica allo stesso livello, mentre io sono una ragazza normalissima, piena di vita e di sentimento, abito ancora coi miei genitori e ho tanti amici coi quali mi diverto: quindi hashish libero e morte all'eroina. Ti prego di pubblicare questa lettera perché vorrei sapere se ci sono ragazze e ragazzi che la pensano come me, oppure se sono le esperienze che io ho vissuto con questa gente che mi hanno indurito il cuore. Lei cosa ne pensa? (*C. C. - Brescia*)

Per carità, ne penso molto male. Non confondo spinelli e spinellati con eroina e eroinomani, ma poiché non posso sentir parlare di pena di morte neppure per i peggiori delinquenti, figuriamoci se non inorridisco alla proposta di saponificare i tossicodipendenti! Spero ardentemente che nessun coetaneo di questa sentimentale fanciulla la pensi come lei, e non credo sia un'attenuante l'aver avuto qualche amara esperienza con dei drogati per volerli nei forni crematori. A parte ogni considerazione etica, la lettera di C. C. offende per la sua rozzezza e per la mancanza di gusto. ■

Grazia - 20 gennaio 1985

droga: parliamone insieme/rispende Piera Piatti

Su spinelli e pena di morte intervengono le lettrici

Ho pubblicato di recente la lettera di una ragazza di Brescia, accanita spinellatrice, nemica dei tossicodipendenti. Vuole la pena di morte per gli spacciatori e se i drogati rifiutano di curarsi li vorrebbe anch'essi morti e «saponificati». Molte persone hanno reagito alla provocazione e anche se mi è impossibile trovare spazio per tutti, riporterò almeno in parte alcune fra le lettere che sono arrivate.

Al posto del cuore hai uno spinello

Al posto del cervello, cara C.C., cos'hai? E al posto del cuore? I ragazzi drogati sono ragazzi come te, solamente essi sono malati, hanno bisogno di affetto e di forza che li sostenga. Leggendo la tua lettera ho capito invece che nel tuo animo c'è posto solo per i tuoi spinelli e per chi ha bisogno di aiuto... c'è il forno crematorio. E non è vero che i tossicodipendenti sono tutti falsi, ipocriti, infami, perché anch'io ne ho conosciuti quest'estate e mai una volta hanno tentato di offrirmi della «roba» ma piuttosto mi mettevano in guardia perché non prendessi anch'io la loro strada. Forse io e te, cara C.C., abbiamo esperienze diverse, ma soprattutto un cuore diverso. (*G. - Padova*)

È una proposta incivile e disumana

Proporre la pena di morte per gli eroinomani (e altre varie assurdità) è la cosa più incivile e disumana che ho sentito, lo è assai di più del bucarsi e fumare. Sì, perché anche fumare è incivile cara C.C., e tu parli solo perché hai la bocca e scrivi solo perché hai la penna. Per fortuna io, che ho ventun anni, non la penso come te e potevi risparmiarti lo squallore della tua lettera, potevi tenerti i tuoi rozzi sentimenti per te, senza venire a decantarci l'hashish che è poi una droga come tutte le altre. (*BiCi - Grosseto*)

No, le droghe leggere non sono innocue

Ho ventiquattro anni e scrivo per smentire con tutta la mia forza quanto ha scritto C.C. di Brescia. Io ho fumato hashish per tanti anni: lo fumavo tutti i giorni e la spesa aumentava insieme al livello di ottundimento mentale. Forse perché tutti mi hanno sempre detto che ho un'intelligenza superiore alla media, mi infastidiva l'aver perso gran parte delle mie capacità mentali: la prontezza, la lucidità, l'abitudine a ragionare velocemente e logicamente. E allora via con la coca e le anfetamine per scuotermi. Ora, dopo tanto tempo, ho perso quest'abitudine, studio di nuovo, sono di nuovo carina, sto bene, bene davvero. La prego di pubblicare questa lettera perché quella ragazza e altri si rendano conto che a ventiquattro anni con un'esperienza così si può anche rimanere schiacciati, e perché ritengo utile chiarire una volta per tutte che l'hashish non è affatto innocuo.(*G. C. - Genova*)

L'ignoranza però non è più una scusa

Devo dire che decisamente non condivido l'idea di C.C. di saponificare i tossicodipendenti!... Ma penso che C.C. non abbia torto quando dice che i giovani sono stati ampiamente messi in guardia dai pericoli delle droghe pesanti e che, mentre un tempo potevano essere scusati per l'ignoranza dei rischi che correvano, ora sono pienamente responsabili delle loro azioni. Per quanto riguarda lo spinello ho amici che fumano erba e anch'io l'ho provata qualche volta, secondo me è una questione di misura. Ho ventinove anni e avrò fumato erba cinque o sei volte, mentre fumo venti sigarette al giorno questa è la mia vera droga che non riesco a smettere. La cosa importante secondo me è non rifuggire sempre dalla propria realtà come C.C. di Brescia che afferma di spinellare tutti i giorni. Tutto può essere nocivo: l'alcol, la sigaretta, lo spinello. L'importante è che una persona sia abbastanza matura da non caderne vittima passivamente. (*Mariella B. - Torino*)

Il mio problema è un altro, e ignorato

Non sono coetanea di C.C. di Brescia e non sono neanche madre di un tossico: mio figlio infatti è solo un grave handicappato e nessun giornale si è mai sognato di fare una rubrica per tale problema... Vorrei dire che, a parte certe espressioni indubbiamente di cattivo gusto e non condivisibili (come la saponificazione dei drogati) condivido quanto afferma C.C. quando sostiene che non si può al giorno d'oggi ignorare dove porta la droga, dato che non si parla d'altro. E credo anche che la «comprensione» di tante mamme e di tanti psicologi e sociologi ecc. abbiano spinto molti ragazzi sulla via del disimpegno personale e poi della droga; credo che le responsabilità siano molto più individuali e personali che della società che si tira sempre in ballo quando si vogliono scaricare le colpe e le inadempienze sugli altri. Lo dica alle sue Mamme disfatte e piangenti: ci sono altri dolori, grandi dolori ai quali nessuno ha collaborato. E allora? Lei dirà che la mia amarezza è comprensibile e che se sono insensibile e intollerante di tutti questi piagnistei lei mi comprende ugualmente e dalla sua cattedra mi inviterà alla «disponibilità». D'accordo, purché ciascuno accetti il suo fardello e non si creino falsi problemi e non ci sia al mondo solo il problema della droga. (*Marisa R. - Bologna*)

Vorrei che Marisa accettasse la mia comprensione perché viene dal cuore. Vorrei che Marisa ricordasse che per anni e anni, le madri dei drogati hanno vissuto il loro dramma nell'incomprensione generale e nella più assoluta solitudine proprio come lei ha probabilmente vissuto la sua storia angosciosa. Vorrei essere capace di trasmettere a Marisa la mia pena per il suo lungo, impotente dolore.

Quante insensatezze parla con i tuoi

Sono René, ho quindici anni e mi rivolgo a te per un consiglio. Sono nei guai, sono in un gruppo di drogati, dopo aver fumato la marj per due anni ho cominciato a sniffare e qualche giorno fa ho fatto il primo buco. Non vorrei più continuare ma non ci riesco, i miei non sanno niente, ma tanto non riuscirebbero ad aiutarmi. Adesso da cinque giorni non prendo niente e sto malissimo, sto andando avanti a forza di sonniferi e sigarette. Quando sballo non riesco a scrivere bene, scusami, spero però che qualcuno mi risponda. (*René - Roma*)

Difficile rispondere a questa lettera piuttosto insensata. Se le cose sono come René dice, non mi pare sia possibile suggerirle null'altro che parlare ai propri genitori. Anche se mi sembra improbabile che padre e madre di questa quindicenne non si siano accorti di avere in casa una sballata che va avanti a sigarette e sonniferi, che sniffa e fuma da anni e che non riesce più a scrivere in modo comprensibile. ∎

Le lettere vanno indirizzate a: redazione Grazia - rubrica «Droga: parliamone insieme» - Mondadori, 20090 Segrate, Milano. La pedagogista Piera Piatti è disponibile anche telefonicamente ogni martedì pomeriggio, dalle ore 14.30 alle ore 17, a Torino, al n. 011/545113.

Le conclusioni del convegno di Roma sulle indagini Istat. Così cambia la vita coniugale. Le differenze tra Nord e Sud

Le ultime spiagge della famiglia

È sempre più piccola per i nonni son guai

Nelle regioni settentrionali si registrano comportamenti più vicini agli altri paesi d'Europa, mentre in Meridione la tradizione prevale. Il lavoro e le donne

Chi e perché dà una mano alle coppie in difficoltà

PERSONA, MOTIVO CARATTERE	TIPI DI AIUTO RICEVUTO						
	Econom.	Terapeut.	Compagnia accud. ecc.	Accomp. ospit., ecc.	Attività casalinga	Pratiche burocratiche	Attività di lavoro
TOT. (=100 %)	793	351	1.874	1.602	715	512	472
Pers. che ha dato l'aiuto							
— genitori/suoceri	46,4	12,0	34,1	29,2	8,3	16,4	13,6
— figli/coniugi dei figli	24,6	26,8	30,0	30,8	40,1	39,1	25,0
— fratelli/cognati	8,9	8,0	9,7	14,2	9,8	11,7	18,6
— altri parenti	8,3	14,5	11,9	9,6	14,7	11,9	12,9
— altri non parenti	10,8	36,7	13,8	15,4	26,3	19,3	28,0
— persona non indicata	1,0	2,0	0,5	0,8	0,8	1,6	1,9

ROMA — Siamo un paese di famiglie antiche, o siamo un paese di famiglie moderne? La domanda non è frivola. Dal tipo di organizzazione familiare che l'Italia si avvia ad avere dipendono scelte importanti per la politica sociale da intraprendere, per il tipo di fiscalizzazione da adottare e persino per il modello di case da costruire. Ma la risposta a questa domanda, come ha dimostrato il recente convegno organizzato dall'Istituto centrale di statistica e dal Comitato nazionale della popolazione non è univoca. Se confrontata a situazioni esistenti in nazioni come la Francia o la Germania, quella del nostro paese appare molto ancorata alla tradizione. Se invece viene rapportata alla famiglia italiana di venti o anche solo dieci anni fa la famiglia targata anni 80 mostra una evoluzione che segue le tendenze delle società industriali più avanzate.

Il sintomo più evidente di questo cambiamento, oltre alla costante diminuzione dei matrimoni e alla crescita numerica delle famiglie di fatto, è l'aumento delle famiglie piccole o piccolissime. In venti anni il numero dei componenti si è drasticamente ridotto: non solo perché è diminuito il numero dei figli, ma anche perché c'è una accentuata tendenza a quella che i demografi chiamano la «nuclearizzazione» della famiglia. Oggi ogni nucleo familiare (ai fini statistici il nucleo è costituito dalla coppia o dai genitori con i figli) tende ad abitare per conto proprio, compatibilmente con la mancanza degli alloggi.

Le famiglie mononucleari sono così l'82,7 per cento del totale mentre solo nel 2,6 per cento dei casi due o più nuclei vivono sotto lo stesso tetto. Allo stesso tempo sono aumentate le famiglie senza nuclei familiari, costituite in gran parte da persone che vivono sole. Ma occorre anche tener presente che questa realtà cambia molto secondo le diverse zone geografiche italiane.

Nord e Sud — Un filo rosso percorre tutta la ricerca dell'Istat: è quello che divide il nord dal sud. Le due Italie emergono con grande nitidezza qualunque sia il tema trattato: la situazione degli anziani, il numero dei figli, le libere unioni, i divorzi e le separazioni. Il nord (soprattutto le regioni occidentali sotto lo stimolo e i condizionamenti della società industriale ha adottato comportamenti più prossimi a quelli di altri paesi europei, quali la Francia o la Germania, che sembrano indicare le tendenze di sviluppo della famiglia nel prossimo futuro. Le regioni meridionali restano ancorate alla tradizione della grande famiglia che conserva il valore della parentela e riunisce sotto lo stesso tetto padre-madre-figli e nonni in un legame insieme affettivo e gerarchico.

Al nord troviamo dunque le famiglie più piccole: di media hanno 2,8 componenti, ma una su cinque è composta da un'unica persona. Inversamente al sud ci sono nuclei più numerosi: le famiglie composte di sei o più membri costituiscono il 12 per cento, la norma è di 3,7 componenti.

E' nelle grandi città del Piemonte, della Liguria e della Lombardia che si incontra la grande solitudine degli anziani, crudamente sintetizzata dalle statistiche. In queste regioni è più alta la percentuale di coppie senza figli e di nuclei familiari composti da un solo genitore con i figli. Anche qui le statistiche sono esplicite: nei grandi comuni dell'Italia nord-occidentale oltre il 13 per cento delle donne coniugate intervistate per l'indagine hanno dichiarato di non aver avuto nessun figlio, ma al sud la percentuale si riduce alle metà: 6,7. Il divario è anche maggiore per quanto riguarda il numero delle

donne separate o divorziate: accettato da tutti gli italiani senza grandi differenze fra nord e sud, il divorzio (e la separazione) è tuttavia una realtà nell'Italia settentrionale, mentre continua ad essere un'eccezione in quella meridionale: così separate e divorziate sono il 5 per cento nei grandi centri del nord, lo 0,8 per cento nei piccoli centri della Sicilia.

Più o meno le stesse percentuali le ritroviamo per quanto riguarda le coppie non coniugate: al nord vivono insieme «more uxorio» 4,6 coppie su cento, al sud rischia la riprovazione sociale e sceglie la coabitazione senza matrimonio solo lo 0,4 delle coppie.

La donna e la famiglia — L'espressione «angelo del focolare» ormai non la usa più nessuno, nemmeno in senso ironico. Sgonfiatesi tante polemiche sui pregi e difetti del femminismo, dimenticato anche l'ultimo interrogativo e cioè se il movimento delle donne sia morto o continui a vivere sotterraneo, resta una realtà profondamente mutata, anche se irta di contraddizioni.

Impieghi gratificanti

In primo luogo è cambiato l'atteggiamento della donna nei confronti del lavoro extradomestico. Negli anni 60, quando la mano d'opera femminile si è affacciata in massa sul mercato del lavoro, era ovvio, sia per le interessate sia per la società nel suo complesso, che l'attività fuori di casa dovesse essere intesa soprattutto come un mezzo per aggiungere altri soldi al reddito famigliare. Era un atteggiamento di tipo strumentale che portava in pratica le donne ad accettare il fatto di occupare posti meno gratificanti, meno pagati e meno garantiti di quelli occupati dagli uomini.

E tuttavia anche così il lavoro femminile ha acquistato un peso determinante all'interno delle famiglie e un valore diverso per la donna: secondo Lea Battistoni che al convegno ha svolto una relazione su questo tema, è stato durante gli anni 70 che «l'angelo del focolare» smette di vedere il lavoro come un momento secondario e transitorio della sua vita, subordinato alle esigenze domestiche. Nel frattempo cresce anche il livello di istruzione femminile ed ecco così che negli anni ottanta il rapporto donna-lavoro cambia sensibilmente. «Dal 70 in poi» dice Lea Battistoni «le donne che si presentano sul mercato del lavoro sono in continua crescita: l'aumento totale dell'occupazione femminile nell'ultimo decennio è di 1.128.000 unità rispetto ad un aumento dell'occupazione maschile di 1.114.000.

Le ragazze inoltre cominciano ad entrare in settori considerati maschili: le assicurazioni, le banche, il commercio, e ad occupare posizioni più qualificate: tra il 77 e l'84 diminuiscono le operaie, aumentano del 5% impiegate e dirigenti. Insomma, le donne cominciano a puntare sulla carriera e a vedere il lavoro come un modo di realizzarsi, né più né meno degli uomini. Oggi, secondo l'indagine Istat, il gran salto è stato compiuto nella psicologica femminile. Le ragazze non considerano più il ruolo famigliare come centrale nella propria vita, ma è l'attività fra le mura di casa che viene considerata secondaria e transitoria. «Donne giovani, ad alto livello di istruzione e qualificazione — dice il rapporto — sembrane spostare in direzione del lavoro familiare l'atteggiamento di tipo strumentale che nel passato avevano avuto nei confronti del lavoro professionale».

Da un punto di vista statistico questa considerazione, che forse pecca di ottimismo secondo un'ottica femminista, sembra suffragata dal fatto che nell'indagine solo un campione molto ridotto di donne, circa il 7 per cento, dichiara di aver smesso di lavorare quando si è sposata o alla nascita dei figli, mentre il 74 per cento afferma che la propria attività non ha subito intralci di nessun tipo a causa di questi eventi

E tuttavia questo non significa che in cambio il lavoro domestico sia oggi più equamente ripartito fra moglie e marito. Una donna spende in attività casalinghe circa 40 ore settimanali, l'uomo in media sei, indipendentemente dal fatto che la moglie lavori o no.

Ennio Flaiano amava dire che non serve più sposarsi, oggi che ci sono le lavanderie per tenere pulite le camicie e i selfservice per nutrirsi rapidamente. Questa indagine in parte lo smentisce: infatti la donna svolge anche un altro ruolo ed è quello di essere il tramite che permette alla famiglia di usufruire di certi servizi. In pratica: è lei che porta la biancheria alla lavanderia, è lei che compra il pollo arrosto al self-service, ma è anche lei che accompagna i bambini a scuola o alla lezione di nuoto, che prende l'appuntamento con il dentista. Ed è ancora lei, come vedremo, che si sostituisce ai servizi mancanti nell'assistenza alle persone sole.

L'ospitalità delle isole

La solitudine — Due milioni e trecentomila persone vivono da sole. Fra loro i giovani sono molto pochi: la ventata di ribellione contro la famiglia di origine sembra definitivamente tramontata e oggi i ragazzi se ne vanno dalla casa dei genitori solo quando di sposano. Pochissimi, solo il 2 per cento, sbattono la porta dichiarando che vogliono essere indipendenti, un altro 12,7 per cento se ne va quando comincia a lavorare, gli altri invece, tutti gli altri, restano a godersi i vantaggi della casa paterna finché dicono il fatale «sì».

La solitudine è così un problema che riguarda gli anziani: sono loro che costituiscono quel 14,7 per cento di famiglie senza nucleo familiare e tra essi il gruppo più numeroso è costituito da donne vedove che hanno 65 anni o di più, mentre sono 608 mila le persone molto anziane, che hanno passato i 75 anni, e che vivono da sole. Questa situazione è particolarmente rilevante nei grandi comuni dell'Italia nord occidentale e pone dei grossi problemi di cui il legislatore e gli amministratori cittadini dovranno tener conto nella pianificazione dei servizi di assistenza.

In generale, è stato detto al convegno da Giovanni Battista Sgritta, i dati sulla società italiana mostrano che questa si sta avviando verso un tipo di famiglia nucleare sempre più isolata dalle strutture di parentela. Per capire il grado di «isolamento» delle famiglie si è misurato la quantità di aiuti che ogni famiglia riceve da altri familiari o da persone estranee.

E' risultato così che in media il 21 per cento della popolazione sopra i 14 anni ha prestato un aiuto di qualche tipo (economico, terapeudico, di assistenze, di ospitalità) a persone non appartenenti al proprio nucleo famigliare.

E' molto, è poco? le due relazioni che si sono occupate di questo aspetto al convegno hanno parlato l'una di una «consistente rete informale di assistenza», l'altro invece di «livelli di assistenza contenuti». Si tratta di vedere se il bicchiere è mezzo pieno o mezzo vuoto; a noi il fatto che venti persone su cento pensino a fare la fila alla posta per ritirare la pensione al vecchio nonno o ad aspettare-fuori della scuola l'uscita dei nipotini non sembra un dato che dimostri una grande generosità o disponibilità familiare.

In genere poi gli aiuti sono strettamente limitati agli ascendenti e ai discendenti in incroci del tipo genitori-figli nonni-nipoti suoceri-nuore o generi e viceversa. I parenti più lontani possono aspettarsi solo interventi minimi, mentre un certo tipo di servizi viene distribuito in misura inaspettatamente rilevante da estranei non appartenenti alla famiglia. Sono i buoni samaritani: la soccorrevole vicina di casa, il portinaio gentile, la dama di San Vincenzo, il giovane idealista che in un clima di solidarietà si prestano a fare qualche ora di compagnia al vecchio solo, a ritirare al suo posto il certificato, a fare l'iniezione, a custodire il bambino della donna che lavora, ad integrare cioè i servizi che lo Stato non sempre fornisce.

E' anche interessante notare che il «familismo» maggiore al sud porta in queste zone ad allargare la cerchia dei parenti che si aiutano a vicenda: anche la cugina di secondo grado o la vecchia zia rimasta sola può contare su una certa solidarietà parentale, soprattutto se vive in un piccolo comune.

A misura che si passa alle aree più intensamente urbanizzate e dal sud al nord ecco che questa rete di parenti soccorrevoli si restringe costantemente fino a coincidere, e nemmeno sempre, con la prima linea discendente di parentela. In compenso però entra in funzione la solidarietà degli estranei che invece scompare nei piccoli centri.

E' anche curioso osservare come si differenziano i tipi di aiuto prestati alle famiglie secondo le varie aree geografiche d'Italia. Al sud prevalgono di gran lunga gli aiuti economici, in parte rappresentati dalle rimesse dei lavoratori emigrati, al centro sud sono invece gli aiuti terapeutici quelli più richiesti, al Nord-ovest serve soprattutto compagnia e assistenza, al nord-est si richiede una mano per trovare lavoro, al nord-ovest i buoni samaritani svolgono le attività casalinghe e le pratiche burocratiche, nelle isole infine si dà ospitalità.

Da questo lungo excursus sulle relazioni interfamiliari emerge un altro dato che ognuno di noi ha potuto riscontrare nella propria vita quotidiana ed è il maggior coinvolgimento della donna in questo tipo di relazioni. Si presta infatti a questo tipo di attività assistenziale il 31 per cento delle donne di oltre 14 anni, contro il 25 per cento degli uomini. E' il ruolo «storico» della donna: che cura, assiste, consola e sulla quale si scarica in maggior parte la crisi del welfare.

Daniela Pasti

*Parla Gianni Agnelli: è l'unica via
per far largo ai giovani. Ma occorre
anche che il salario sia flessibile*

Prepensionati a 50 anni
"Nell'industria il futuro è dei robot"

di EUGENIO SCALFARI

ROMA — L'avvocato Agnelli, nei giorni immediatamente precedenti il Natale, è andato a trovare Sandro Pertini al Quirinale: il Capo dello Stato l'aveva convocato per parlargli dei licenziamenti alla Marelli; ma di concreto, da quel colloquio, ben poco poteva uscire. Perché, dice Agnelli da noi interpellato sull'argomento *disoccupazione*, «le grandi industrie in Italia continueranno a ridurre l'occupazione».

La notizia data dal presidente della Fiat e quindi dal numero uno del capitalismo italiano è dunque questa: «Non sperate che la grande industria risolva il problema dell'anno, che è indubbiamente quello dell'occupazione. La grande industria deve proseguire il suo processo di modernizzazione tecnologica, che anzi nel nostro paese è ancora troppo indietro. Deve aumentare l'automazione, l'uso dei robot, l'introduzione di nuove tecnologie. Tutto ciò ha come inevitabile conseguenza quella di espellere mano d'opera».

Ma conviene, avvocato Agnelli, accelerare questo processo di modernizzazione in un paese dove i disoccupati superano largamente i due milioni di unità? Che senso ha investire una massa di capitali imponente per risparmiare braccia, quando le braccia sono a disposizione?

Risponde il presidente della Fiat: «Prendiamo a titolo d'esempio un paese-leader, gli Stati Uniti d'America. Lì l'occupazione è aumentata in pochi anni di alcuni milioni di unità. La ragione? L'enorme mobilità del fattore lavoro ed anche la mobilità del livello del salario. Negli Stati Uniti non si creano posti di lavoro, nel senso rigido e indefinito del termine, come si vorrebbe che avvenisse in Europa e in particolare in Italia. In America si crea lavoro, non posti. Un lavoro incessantemente mutevole secondo gli orienta-

menti del mercato, della domanda, dello sviluppo tecnologico, dei gusti dei consumatori. E il livello salariale cambia secondo il tipo d'occupazione disponibile. Ecco perché l'occupazione aumenta. Qui da noi è tutto terribilmente diverso. Il posto di lavoro è indistruttibile, il livello del salario è rigido. Perciò è assai più conveniente ricorrere alle macchine che alle braccia. Le macchine costano meno e rendono i nostri prodotti competitivi con quelli stranieri. Ecco la risposta».

Lei però ha detto che il posto di lavoro è indistruttibile. Allora che farete? Nuove tecnologie per risparmiare braccia, ma braccia esuberanti non solo fuori dalle aziende ma anche dentro alle aziende modernizzate. Con quale vantaggio?

«Infatti, bisogna poter licenziare, anche per aprire un varco ai giovani. Le vie per arrivare a questo risultato sono sostanzialmente tre: i prepensionamenti, la flessibilità del salario, uno sviluppo dei servizi che assorba la mano d'opera che la grande industria non può utilizzare».

Prepensionamenti a quale età?

«A cinquant'anni nelle zone di crisi e di ristrutturazione».

Non si resta con le mani in mano a cinquant'anni.

«È vero. Ma sono energie che possono rifluire, appunto, nei servizi, nell'industria minore, nel lavoro a domicilio, nel "sommerso". Insomma, in settori meno sindacalizzati dove il livello del salario sia negoziato con procedure diverse o dove l'ex salariato si trasformi in artigiano e in lavoratore autonomo».

Lei ha fiducia che i servizi possano assorbire ancora mano d'opera? Non le sembra che siano già abbastanza inflazionati?

«Ci sono nei servizi posti di lavoro inutili, ma non è a quelli che mi riferisco. La nostra è ancora

una società con uno scarso sviluppo di servizi efficienti e moderni. C'è ancora grande spazio. Ma certo, bisogna organizzarlo».

Una parte del movimento sindacale punta sulla riduzione delle ore di lavoro...

«Guardi, questa è una sciocchezza. La disoccupazione non dipende affatto dal numero di ore lavorate. Dipende dalla rigidità del fattore lavoro e del fattore salario. Faccio un esempio concreto: nella Corea del sud l'orario settimanale di lavoro è di 72 ore. Ebbene, non c'è un solo disoccupato in quel paese».

Lei porta la Corea del sud come esempio?

«Non certo da imitare, ma per verificare che il livello dell'occupazione non dipende dall'orario di lavoro. E poi: l'orario di lavoro dovrebb'essere ridotto innanzi tutto nei paesi industrialmente più forti; solo in un secondo momento i paesi più deboli potrebbero seguire l'esempio. Provi a immaginare che cosa accadrebbe se l'Italia diminuisse l'orario rispetto a quanto avviene in Germania, in Giappone, negli Stati Uniti. Provi a immaginare che invasione di prodotti americani, tedeschi, giapponesi si verificherebbe sul nostro mercato e che tipo di concorrenza sui mercati stranieri. Se adesso piove, in quel caso grandinerebbe sulle nostre teste. No, con buona pace di Carniti, la strada non è quella della riduzione d'orario, ma è l'altra che ho appena indicato».

In conclusione, questa disoccupazione ce la dobbiamo tenere?

«Lo ripeto: bisogna far largo ai giovani con prepensionamenti, bisogna organizzare e sviluppare meglio i servizi e la pubblica amministrazione. Fino al 1990 andrà così. Dopo la curva demografica comincerà a decrescere e ci sarà un po' più di respiro».

RAGAZZI, C'È POSTO

di GAD LERNER

L'industria del lavoro nero, sommerso e sottopagato, si evolve e si modernizza.
Ed è anche perfettamente in regola con il fisco. Dai ragazzi dei Pony Express a quelli dei fast
food arriva una risposta alla disoccupazione

Milano. Adriano Todi manda giù il secondo bicchiere di Martini, fa scorrere sullo schermo del computer il riassunto delle consegne del giorno, e sfodera il suo bell'accento meneghino: «Uèi, ragazzi, lo vedete anche voi quello che vi ripeto sempre quando sto alla radio. Qui c'è una torta da 5 milioni ogni giorno da dividere. E ve la mangiate voi!». Poi controlla uno dei pacchetti di tagliandi che gli vengono restituiti insieme al walky-talky: «Ecco, Puma, oggi ti sei mangiato una bella fetta da centomila!».

Sì, è stata davvero un'ottima giornata di lavoro. Cianotici, dita e nasi semi-assiderati, neri di smog e di fango come minatori inglesi, i giovani fattorini motorizzati della Pony Express, rientrati alla centrale di Porta Romana, battono i piedi per ripristinare la circolazione e raccontano ridendo di scivolate, sbandate e cadute sul ghiaccio delle strade milanesi. Grazie alla neve che ha fioccato tutto il giorno riscuoteranno mille lire in più a consegna. Quattromila invece che tremila, con una domanda di fattorini che supera di gran lunga l'offerta. Se poi alla mattina presto di un'altra di queste giornate — a dieci sottozero e ghiaccio — qualcuno dei "pony" si lamenta perché non viene applicata la tariffa delle precipitazioni atmosferiche, allora è Smu (ovvero Alberto Smuraglia figlio del consigliere regionale comunista, promosso boss dopo aver cominciato anche lui col motorino) a rimbeccarli: «Siete diventati delle fighette, solo perché vi abbiamo coperti di lira?».

Ma né Smu né il suo collega Adriano sono dei perfidi caporali sfruttatori. A parte il fatto che semmai gli "sfruttatori" sarebbero Paolo Vittadini e Luca Sepe, solo di poco più anziani coi loro 27 anni e l'espressione tipica dei neo-laureati alla Bocconi, geniali importatori in Italia di questo servizio che conta già 80 imitatori, mentre la loro agenzia (presente a Milano, Roma, Bologna, Torino, Firenze) in poco più di un anno è diventata la più grande del mondo e si prepara a raddoppiare, da uno a due, i miliardi del fatturato. No, non è caporalato. Sono ingranaggi di una moderna macchina metropolitana fabbricasoldi che solo nel 1984 a Milano ha radunato un giro di mille ragazzi in cerca di reddito, ai quali bisogna aggiungere quelli della Moto taxi, della Speedway, della Milan express e via di questo passo. E, naturalmente, senza dimenticare i "pony" di Roma e delle altre grandi città.

Già, la torta dell'offerta di lavoro giovanile nell'Italia della disoccupazione è sempre più grossa e ben confezionata. Ed è anche perfettamente in regola con il fisco. I ragazzi assunti a part time o coi contratti di formazione per cucinare hamburger nei fast food, si vedranno versare tutti i contributi del caso. Così come i loro coetanei fattorini riceveranno, al termine delle due settimane consecutive di lavoro, un assegno con regolare ritenuta d'acconto. Quindici giorni di pausa, per evitare guai col pretore, e poi chi vuole ricomincia. Del resto nessuno farà storie, per l'assunzione, perché nessuno desidererebbe restare "pony" per tut-

Un fattorino della Pony Express e una commessa di Burghy.

ta la vita, neanche a reddito fisso e col libretto di lavoro.

L'industria del lavoro nero, precario, sottopagato, si raffina, si evolve, si modernizza man mano che si espande. Fino al punto che il dibattito in corso fra politici, sindacalisti e industriali sulle nuove leggi per l'occupazione non può più non tenerne conto. Il democristiano Beniamino Andreatta propone la «deregolamentazione del lavoro sotto i 25 anni»? Eccolo accontentato dai bocconiani della Pony Express e dai manager dei vari Burghy, Quick, Wendy, Burger one. Agnelli denuncia «i posti di lavoro indistruttibili» e sogna gli Stati Uniti dove «non si creano posti di lavoro nel senso rigido e indefinito del termine, ma un lavoro incessantemente mutevole secondo gli orientamenti del mercato e in cui il livello salariale cambia secondo il tipo d'occupazione disponibile»? Ebbene, nel nord d'Italia la maggioranza dei giovani è già coinvolta in questi meccanismi se è vero che — come annuncia il professor Guido Romagnoli, preside della facoltà di sociologia di Trento, nell'ambito dell'indagine Iard sulla condizione giovanile, pubblicata di recente dal Mulino — ben il 60 per cento dei giovani fra i 14 e i 25 anni ha già avuto qualche esperienza lavorativa, mentre solo il 12,4 per cento dei giovani occupati lavora stabilmente in aziende con più di 50 dipendenti. Solo il Sud resta escluso dalla torta. Una torta fatta d'instabilità e di una continua ricerca di lavoro che interessa una popolazione giovanile quasi doppia rispetto a quanto registrano le rivelazioni ufficiali dell'Istat.

È questa un po' precaria e avventurosa, la prospettiva dei nuovi posti di lavoro nel terziario? Un terziario che ormai anche in Lombardia ha definitivamente sorpassato l'industria per numero di addetti? Chi cita l'esempio americano ritiene evidentemente di sì, ed evoca quella che Mike Davis definisce «strutturazione "a clessidra" del mercato del lavoro»: la crescita, cioè, di un'economia dualistica con pochi posti di lavoro ad alto reddito, molti posti di lavoro a basso reddito e un centro mancante. Un esempio? I dipendenti della sola McDonald's, la più famosa catena di fast food, sono più numerosi di quelli dell'intero settore siderurgico Usa. E i loro salari sono inferiori a quelli dei braccianti agricoli.

Strana coincidenza: quest'anno la McDonald's aprirà, cominciando da Roma, le sue prime filiali nostrane.

Si confronterà con una concorrenza italiana che, seppur vincolata da leggi meno flessibili di quella d'Oltreoceano, dimostra di aver bene imparato la lezione. Secondo quanto afferma il sindacato (che stenta a metterci piede), una catena come il Wendy assumerebbe gran parte della sua mano d'opera con i contratti di formazione: «In realtà la formazione non richiede più di una settimana, così i ragazzi vivono un prolungato periodo di prova, essendo licenziabili ogni momento. Sul loro contratto, alla voce "orario di lavoro" c'è scritto "da stabilire". E molto spesso allo scadere del contratto di formazione vengono allontanati per ricominciare da capo», sostiene Bruna Bianchi della Uil. Nelle altre catene di fast food in espansione, prevale invece l'utilizzo del part time, 24 ore settimanali flessibili, accompagnate da un'accurata politica di incentivi individuali. I ragazzi lamentano le difficoltà: il ritorno a casa nel cuore della notte, i pasti sempre uguali col fatidico hamburger, la pulizia di cessi assai malridotti da una clientela troppo disinvolta. Ma alla fine, visto che comunque nessuno ha intenzione di passarci tutta la vita, resistono (chi più chi meno: la media di abbandono del posto di lavoro è di ben il 40 per cento all'anno!). Del resto, c'è poco da fare gli schizzinosi: il lavoro giovanile è sempre, nel 67 per cento dei casi, lavoro manuale, anche quando riguarda ragazzi provenienti da famiglie con istruzione e reddito medio-alti (il 32 per cento dei casi analizzati dallo Iard).

Perché? Perché l'enorme massa della disoccupazione giovanile (in Italia abbiamo dieci disoccupati sotto i 25 anni per ogni disoccupato al di sopra dei 25 anni) ha un'unica chance concreta di venire utilizzata. E cioè servire quella particolare branca del terziario avanzato che consiste nel cavar soldi dalle nuove dimensioni della metropoli e soprattutto dai suoi nuovi disagi. Si tratta di un territorio sconfinato di verifica per nuove idee, al tempo stesso lapalissiane e geniali: i giovani nullafacenti possono essere impiegati per risparmiarti il fastidio delle code per pratiche burocratiche, con tanto di consegna a domicilio, oppure — come ha già cominciato a fare la Pony Express — per recapitare in quattro ore, usando due motorini e un aereo, una busta da Milano a Roma e viceversa. È anche un territorio spietato di spionaggio industriale, in cui le trovate

e le nuove idee di servizio vengono preservate come tesori preziosi dal pericolo di furto. «Sì, perché solo il primo e al massimo il secondo che approntano il servizio possono avere speranza di riuscire», spiega Paolo Vittadini, fondatore della Pony Express, prima di ricordare che la Milano express l'ha aperta un "pony", e che la Flash road l'hanno aperta due fattorini della Speedway. Come? Ascoltano la radio trasmittente per una giornata, tirano giù indirizzi, poi vanno ad offrire al cliente condizioni più vantaggiose. Ma quasi sempre falliscono.

Resta da chiedersi se questo mercato in espansione non possa presto essere intasato dal riversarsi dei nuovi poveri, degli stranieri, dei cassintegrati di età più avanzata. Ma gli esperti del settore tendono ad escluderlo. Spiega ad esempio Francesco De Marchi, project leader della Burger one (che appartiene al gruppo Perfetti): «Il locale ha bisogno di mano d'opera giovane, che sopporti la monotonia e un lavoro non qualificato. Ebbene, lei non ci crederà ma uno studente le pulisce per terra o le frigge le patatine meglio di un adulto non istruito. Forse perché lo fa con l'entusiasmo dell'esperienza nuova e temporanea. È lo stesso motivo per cui abbiamo bisogno di usare il part time: l'immagine "giovane" del locale risentirebbe di un personale stanco e demotivato».

De Marchi sottolinea come il fast food sia un posto serio, dove tutto è legale, senza i lavapiatti egiziani clandestini di quasi tutti gli altri ristoranti. Ma non gli dispiacerebbe potersi avvicinare di più al modello McDonald's: «Noi accoglieremmo volentieri un maggior numero di studenti universitari. Invece della droga e del bighellonare fuori casa, potremmo offrirgli un lavoro ad un prezzo adeguato». Il tariffario sindacale, però, tiene ancora molto al di sopra il costo orario medio in Italia (13 mila lire) rispetto a quello statunitense (5 dollari).

Sentiamo ora la risposta di Vittadini, della Pony Express: «Il nostro è un lavoro per giovani. Solo loro hanno la capacità e la prontezza di andare in giro con il walky-talky e premere il pulsante per prenotarsi una chiamata come al rischiatutto. Certo, ci sono anche ragazzi che vivono girandosi due settimane alla volta tutte le agenzie, ma la maggioranza è destinata a restare di studenti, più sotto che sopra i 20 anni».

111

Eppure tra i suoi fattorini più affezionati troveremo anche una coppia come Angelo Fuscilla e Cristina Prette, lui 28 e lei 25 anni, che nel 1983 si licenziarono dai rispettivi posti fissi per fare un viaggio in Equador e Perù, e che da allora mantengono precariamente la casa consegnando pacchi e usufruendo delle supplenze da infermiere che Angelo ottiene di tanto in tanto presso un istituto per handicappati di Cesano Boscone. Accanto a loro, un "Puma" (ciascun "pony" usa un nome d'animale per snellire le comunicazioni radio), alla fine del suo turno, userà i soldi per andare a Londra a registrare un disco heavy metal col suo gruppo.

Non è escluso che Angelo e Cristina, precari al massimo grado, possano decidere di concedersi ugualmente un volo alle Canarie in pieno inverno. Contraddizioni solo apparentemente assurde nel magma della stratificazione sociale milanese. Non si sa neppure se dobbiamo considerare davvero "povero", né che fine abbia fatto, quel Manuel di cui è ancora attaccato il biglietto in centrale: «Ragazzi miei, lo so che non vorrete farmi fare un capodanno al freddo e al gelo: mi sfrattano per cui vedete di cercare un'accogliente magione in affitto. Ok?».

Franz Foti, responsabile dell'"Osservatorio giovani" della Camera del lavoro, racconta che a Milano ci sono sul mercato 30 mila persone fra i 15 e i 29 anni neppure iscritte all'ufficio di collocamento. In tutta Italia questi "sbandati" sono almeno 700 mila. Sempre Foti ha elaborato un elenco di venti diversi rami d'attività basati su lavori saltuari e precari, e sottolinea come solo lo 0,7 per cento delle nuove assunzioni sia avvenuto per chiamata numerica tramite l'ufficio di collocamento.

Quella che Gianfranco Bettin — commentando sulla rivista "Linea d'ombra" i risultati dell'indagine Iard — definisce «una condizione di lavoro intermittente», piuttosto che vera e propria disoccupazione, finisce così per stemperare qualsiasi mito, positivo o negativo, sul "valore-lavoro". Il risultato non può essere che un atteggiamento di estremo disincanto, che non fa discendere giudizi e valutazioni da premesse ideologiche bensì dall'esperienza concreta e da un calcolo di opportunità.

Gad Lerner
hanno collaborato Camilla Invernizzi
e Maria Simonetti

PROVATE ANCHE QUI

Roma. Probabilmente dovremo smetterla di usare il dispregiativo "lavoro nero" e adeguarci alla moda dei tempi chiamandolo "lavoro deregolato". In effetti, le attività di carattere saltuario, intermittente, restie a lasciarsi stabilizzare, non possono più essere considerate solo come un retaggio di arretratezza o come un'appendice del "sommerso". La novità è che esse si integrano a pieno titolo nei settori più moderni ed avanzati dell'economia italiana. Si espandono nelle grandi città di pari passo con lo sviluppo del terziario avanzato. Lo conferma il censimento dei principali settori di attività prevalentemente precaria e saltuaria, elaborato da Franz Foti, responsabile dell'Osservatorio giovani della Camera del lavoro di Milano:

1. Servizi di ristorazione. 2. Servizi di facchinaggio. 3. Servizi di pulizia. 4. Servizi di consegna a domicilio (pacchi, posta, libri, audiovisivi, eccetera). 5. Servizi di distribuzione di materiale di propaganda. 6. Servizi di collaborazione nel settore delle indagini ed interviste. 7. Settori dello spettacolo (Tv, discoteche, danza, radio, ecc.) 9. Servizi di giardinaggio. 10. Servizi di collaborazione editoriale (giornali, riviste, correzioni bozze, ecc.). 11. Settori del doppiaggio e delle comparse. 12. Collaborazioni saltuarie negli studi professionali (commercialisti, avvocati, progettazione, design, contabilità, compilazione moduli, ecc.). 13. Lavori a domicilio (tessile, moda, imbustamento, confezionamento, ecc.). 14. Edilizia minore (manutenzione, imbiancatura, idraulica, impianti di vario genere). 15. Attività ricreative e di tempo libero. 16. Attività domiciliari (accudienza, baby sitter, fisioterapia, lavori casalinghi). 17. Lavaggi auto. 18. Attività di doposcuola. 19. Centri privati di formazione professionale. 20. Vendita oggetti vari (enciclopedie, cassette pronto soccorso, cerotti ecc.).

L'ufficio di collocamento di Milano — la città italiana più interessata a questo riassetto produttivo insieme a Roma, Bologna, Firenze, Verona e alle altre città a reddito medio-alto — non può certo registrare il flusso discontinuo di rapporti di lavoro sfuggenti a qualsiasi formalizzazione burocratica. Pensiamo ai 23 mila "figuranti", che poi sarebbero le persone che nel giro di un anno vanno ad applaudire a pagamento nei varietà della Rai e delle tv private. Oppure alle migliaia di interviste che vengono realizzate ogni giorno, per telefono o in strada, per conto delle agenzie di sondaggio.

Eppure anche l'ufficio di collocamento registra un fondamentale cambiamento avvenuto lo scorso anno: il netto sorpasso delle assunzioni nei Settori di vendita (26,4 per cento del totale) rispetto al settore metalmeccanico (21,7) che da sempre deteneva il primato. Grazie alla sua estrema flessibilità, il terziario scavalca l'industria anche grazie all'espansione del settore mense e alberghi (7,7 per cento) e dei servizi igienici sanitari (5,9 per cento), entrambi in espansione.

La tendenza si conferma anche con i contratti di formazione per i giovani. Più di metà dei circa 1.500 stipulati l'anno scorso a Milano, riguarda il settore del commercio. Grazie ad essi, il datore di lavoro può assumere il giovane scegliendolo con chiamata nominativa e usufruirà di notevoli sgravi fiscali. Al termine del periodo di lavoro e formazione concordato, deciderà liberamente se assumerlo o meno.

G.L.

CHI CERCA TROVA UN LAVORO

In questa tabella, per ciascun settore, sono indicati il numero di nuovi posti di lavoro previsti per gli anni Novanta, e le specializzazioni più richieste (Fonte: Enea)

ENERGIA: 200 mila posti di lavoro (per esperti in energia eolica, conversione fotovoltaica, impianti termoelettrici a carbone, impianti nucleari, sistemi a biogas, pompe di calore, celle a combustibile, sistemi di controllo e di gestione dell'energia).

INFORMATICA: 800 mila posti di lavoro (per esperti in teleprocessing, gestione di base di dati, sicurezza dati, progettazione con calcolatore, sistemi informativi, programmazione computer, vendita e tecnica commerciale, installazione e manutenzione di lettori di codici a barre, automazione d'ufficio).

EDILIZIA: 150 mila posti di lavoro (per esperti in urbanistica, strutturistica, utilizzazione delle materie plastiche, analisi sul consolidamento delle strutture, energetica, ristrutturazione).

ROBOT INDUSTRIALI: 200 mila posti di lavoro (per esperti in sistemi robotizzati a controllo numerico computerizzato, tecnica professionale, tecnica di supporto alla produzione, tecnica della supervisione).

LASER: 50 mila posti di lavoro (per esperti in sistemi laser per saldatura, fabbricazione dei semiconduttori, fotochimica, avionica, sistemi di misura a laser, lavorazione di materiali non metallici, trattamento di superfici, sistemi laser per taglio e foratura).

RICERCA SCIENTIFICA: 250 mila posti di lavoro (per esperti in ingegneria biomedica, biotecnologia alimentare, biotecnologia della cosmesi, biotecnologia farmaceutica, biotecnologia per la selezione e creazione di cellule di organismi mono e pluricellulari, bioinformatica, reattori enzimatici, ingegneria biomeccanica, bioingegneria).

AGRICOLTURA: 500 mila posti di lavoro (esperti in agrobiotecnologia, floricoltura, sistemi a misura laser, piante medicinali, conservazione dei prodotti, agrobiologia, acquacoltura, tecnologie agricole integrate, tecniche nucleari applicate all'agricoltura, coltura di cellule vegetali e animali, biotecnologia botanica).

ECOLOGIA: 240 mila posti di lavoro (per esperti in disinquinamento biologico, riciclo dei residui organici, stabilizzazione del suolo e risorse idriche).

BENI CULTURALI: 150 mila posti di lavoro (per esperti in conservazione e restauro delle opere d'arte, conservazione dei metalli, studio e conservazione delle pitture murali, fotogrammetria, telerilevamento e geofisica, analisi biotecnologiche, analisi laser, analisi nucleari, analisi chimiche).

CONTROLLI INDUSTRIALI: 50 mila posti di lavoro (per esperti in tecniche acustiche, tecniche ultrasoniche, tecniche termiche, tecniche elettromagnetiche, olografia).

SANITÀ: 450 mila posti di lavoro (per esperti in bionica, fisioterapia riabilitativa, assistenza e dialisi, assistenza agli anziani, assistenza all'infanzia, applicazioni terapeutiche del laser).

BERNI

L'ESPRESSO - 19 MAGGIO 1985

DIECI CONSIGLI DA RICORDARE

Roma. Nicola Cacace, presidente dell'Istituto di studi sulle relazioni industriali e autore del saggio "Professioni e mestieri del 2000" (Franco Angeli editore), ha compilato questo decalogo per i giovani che devono scegliere un lavoro.

1) Imparare a leggere e scrivere bene. Anche in campo scientifico la capacità di esprimersi sta diventando il primo fattore di successo nei processi formativi.

2) Curare l'inglese, l'informatica e l'economia. Sono conoscenze necessarie ormai in ogni settore professionale.

3) Non trascurare il lavoro manuale. Ha un elevato valore formativo e resta importante per le crescenti esigenze di manutenzione a ogni livello.

4) Accettare ogni esperienza iniziale o intermedia. È un errore rifiutare lavori con professionalità diverse da quella di cui si è titolari. In una società mutevole e intersettoriale va sfruttata ogni esperienza di lavoro.

5) Sviluppare la cultura della mobilità. Non conviene sacrificare al "posto fisso" altri valori come il lavoro interessante con responsabilità, l'apprendimento di cose nuove, il guadagno.

6) Tenersi informati sui grandi cambiamenti della società. Non si può, ad esempio, lavorare in una fabbrica di giocattoli senza conoscere i tassi di natalità dei vari paesi.

7) Tenersi informati sui cambiamenti del settore lavorativo. Questo per evitare di essere emarginati da un'innovazione tecnologica.

8) Alternare studio e lavoro tutta la vita. Il vecchio processo di apprendimento della scuola non basta più. Bisogna stabilire la percentuale del proprio tempo destinata all'apprendimento.

9) Sviluppare ed accumulare info-ricchezze. L'informazione è un fattore che si può scambiare o vendere ad un numero teoricamente infinito di imprese.

10) Non piangere sulle cose che non funzionano. È tipico della cultura anglosassone reagire alle avversità con più determinazione ed organizzazione di quanto avvenga nelle altre culture.

ALLA SCOPERTA DEI NUOVI MESTIERI

di ROBERTO DI CARO e GAD LERNER

Nel mondo del lavoro sono in atto profonde traformazioni. In molti campi nascono professioni e opportunità diverse. Dal settore della comunicazione a quello della scienza, dall'agricoltura a...

Milano. Un gruppo di esperti in vino e cibarie si aggira per le mense dell'hinterland milanese: staccatosi da una società che organizza feste e banchetti, ora controlla per conto di Comune, sindacato e associazione consumatori, la qualità di ciò che ingurgitano impiegati e operai. In due scuole di teatro, una milanese e una torinese, tranquilli insegnanti di recitazione sono diventati moderni maestri di retorica quando, anziché aspiranti attori, si sono trovati come uditorio un piccolo esercito di gente che voleva imparare a parlare in pubblico e a costruire un discorso: manager nei guai con le riunioni del personale, sindacalisti impacciati sopra un palco...

Nascono così le professioni del Duemila; o almeno molte di esse. Non sembri oltraggioso ai diecimila che hanno da poco concorso a quattro posti da manovale Enel a Torino (fra loro molti laureati); ma, almeno nelle zone più sviluppate del paese, le nuove opportunità spuntano come funghi. Probabilmente non c'è posto per tutti, ma di certo ce n'è per molti fra coloro che sapranno guardarsi intorno con competenza, informazione, fantasia. Per aiutarli, ci si è messa anche la Provincia di Milano. Dall'inizio del mese funziona infatti il cosiddetto sistema "informshop". Qualunque ragazzo si rechi nella sede di via Donizetti 10 può chiedere di vedere sullo schermo di un computer quali sono i nuovi mestieri collegati ai suoi studi, qual è il fabbisogno di addetti tecnici ed esperti previsto per il 1990, quali sono i centri professionali, gli enti e le università più adatti da contattare.

In ogni caso, gli studiosi concordano sul fatto che, contrariamente a quel che si pensa, in Italia occorreranno ancora più laureati di quanti oggi se ne sfornino (nelle facoltà giuste, s'intende). Un gradino più sotto, invece, si assiste a un incrontrollabile e magmatico boom dei corsi professionali. Passa il decreto Visentini? Ecco subito la pubblicità dei corsi per le nuove dichiarazioni fiscali. Arriva in Italia un nuovo macchinario? Si trascina automaticamente dietro qualche intraprendente che si offrirà di spiegarvelo a pagamento. In calo la pratica dell'apprendistato, in crisi le scuole professionali di Stato e regionali, è nato invece un nuovo settore di corsi brevi, intrecciato fra il mondo della scuola e quello delle aziende, che qualcuno ha battezzato "formatica"; vi si affidano circa 900 mila giovani.

«Non ci illudiamo su una espansione delle grandi aziende. Siamo consapevoli che l'"office automation" espellerà mano d'opera anche nel mitico terziario. E allora, per creare occupazione, bisognerà sviluppare tante piccole imprese», dice il ministro del Lavoro Gianni De Michelis. Gli fanno eco non solo le analisi dei sociologici, ma anche le prime concrete esperienze di imprenditoria giovanile. Caso più celebre: l'invenzione dei fattorini "pony express".

Comunicazione. Si chiamano Metamorphosi e, come società di servizio, sono nate nell'83 a Milano.

In pratica mettono insieme professionalità come quelle di "chyronista" (il "chyron" è una titolatrice che permette straordinarie animazioni), di mago degli effetti speciali, di direttore della fotografia, di mixer videeo, di computer graphic, e così via. Loro fiori all'occhiello sono le "situation comedies", miniracconti e

immagini che le imprese usano quotidianamente per spiegare come si vende un prodotto, come si usa una macchina, come ci si comporta con la segretaria o perché conviene arrivare puntuali in ufficio.

Non si creda però che videomania, videoscienza e videoart abbiano soppiantato professioni del comunicare più tradizionali. Anzi: alcune di esse, adeguatamente aggiornate e riciclate, vivono una specie di seconda giovinezza. Il boom delle riviste di moda, che dura da anni, richiede giornalisti esperti del sistema moda; e la Marzotto lancia a Milano, da ottobre un corso per 20 nuove firme, presieduto dal sociologo Francesco Alberoni. L'editoria è in crisi? Niente paura: una occasione futura per giovani culturalizzati è l'editing, il lavoro di chi segue un libro dal manoscritto alle stampe.

Immagine. Ha i suoi maghi, strateghi, scienzati, gli image-makers, appunto. Sono un migliaio, per ora, ma diventeranno sempre di più i facitori del "look" di un personaggio, di un'azienda, un marchio, un prodotto. Anche qui il mutamento è profondo: l'altroieri bastava la pubblicità, ieri la sponsorizzazione generica, soprattutto sportiva. La nuova frontiera (e la nuova professione) è però quella del "cercatore di sponsor" per attività culturali: «Facciamo da intermediari», dice Osvaldo Mazza, ideatore della milanese Arting, «studiamo gli abbinamenti più efficaci tra una azienda che paga e un Comune che vuole, ad esempio, una mostra: progettiamo e organizziamo, curiamo trasporto e assicurazione delle opere, il catalogo, il marketing e le pubbliche relazioni». Secondo Mazza, la sua è una professione che entro la fine degli anni Ottanta può dar lavoro a qualche migliaio di persone, con un mercato privato stimato oggi in 400 miliardi.

Poi c'è l'esercito delle "pi-erre": le addette alle pubbliche relazioni al femminile perché 7 su 10 sono donne; in continua espansione perché a detta di tutti c'è ancora un terreno vergine e mobile quant'altri mai. Il paradosso si raggiunge quando si vende l'immagine di un'immagine: è il caso della moda.

Moda e design. Per i mestieri di domani, questo è un vero filone d'oro con uno scambio continuo tra creazione e produzione, impresa e mercato, idee e denaro. «La vera professione emergente», dice lo stilista Elio Fiorucci, «sta nell'immaginare nuovi servizi e nuovi commerci, nell'assemblare capacità ideative e produttive che possono ormai essere sparse in tutto il mondo».

Scienza e tecnica. Inventa molecole viventi attraverso la manipolazione genetica di batteri e microorganismi: si chiama biotecnologo. Il futuro della medicina e dell'industria farmaceutica dipendono in larga misura dal suo lavoro; ma anche, in parte, quello della chimica, dell'industria alimentare, dell'agricoltura.

Altre, tra le professioni scientifiche di domani, hanno a che fare con l'ecologia: l'"energy-manager", per esempio, tecnico del risparmio energetico. O il valutatore di rischi ambientali: per usare le parole di Belisario Merolle, direttore generale della Fast (che organizza continuamente corsi per insegnare questa professione), è «un geologo-ingegnere, un po' sociologo, in grado di valutare e simulare in anticipo tutti i rischi di una centrale nucleare, una diga o un grande impianto industriale sull'ambiente circostante».

Specializzazioni a parte, c'è una professione che, se il ministero della Ricerca Scientifica manterrà gli impegni di spesa previsti entro il 1990, dovrà almeno raddoppiare i posti: quella di ricercatore. In Italia sono 80 mila in tutto tra pubblico e privato, la metà rispetto alla Germania o al Regno Unito, e un quinto rispetto al Giappone. Altrimenti a che serve parlare di optronica e di calcolatori iperveloci?

Impresa. Lo chiamano "responsabile info-center", e in questi mesi è il protagonista in centinaia di imprese di medie e grandi dimensioni

(Info sta per informatica, ma il nostro non ha nulla a che vedere con il vecchio responsabile edp, il pioniere dell'informatizzazione delle aziende). L'info-center man, metà insegnante e metà consulente interno, è l'uomo che erudisce ai segreti del computer, personal e no, i manager e parte dei quadri. Figura di passaggio? Al contrario. Nelle aziende mette radici al punto da costruire al loro interno una specie di struttura autonoma, col compito di aiutare i vari responsabili di settori e comparti a risolvere, col computer, i loro problemi quotidiani: come trasferire in figura alcuni dati, come utilizzare modelli per le analisi simulate e così via.

Agricoltura. Che le attività collegate alla campagna siano oggi di nuovo in espansione è un dato di fatto della montante terziarizzazione, confortato dalle statistiche. Niente di bucolico: ai campi non tornano luddisti impenitenti o nostalgici dei figli dei fiori, ma agrobiologi e agrobiotecnologi, esperti in radioisotopi applicati alla fisiologia delle piante, pionieri dell'agronica (l'elettronica applicata all'agricoltura); genetisti vegetali che, grazie alla micropropagazione, dalla punta di una gemma riescono a produrre 5-600 mila piantine in un anno; genetisti animali che, grazie all'"embryo-transfer", fanno concepire una vacca di gran razza venti volte in un anno facendo completare le gravidanze da esemplari meno pregiati. E manager, spesso figli di piccoli e medi proprietari terrieri, che quasi da soli curano allevamenti di rispettabilissime dimensioni completamente computerizzati. Per chi ama l'esotico, invece, alla facoltà di Agraria di Firenze c'è un corso di laurea in agricoltura tropicale e subtropicale che prepara i tecnici per la cooperazione con il Terzo mondo.

Beni culturali. «Siamo l'Arabia Saudita del ventesimo secolo!», esclama il ministro De Michelis quando si parla di beni culturali. Il paragone con i giacimenti di petrolio (ancora in larga misura da estrarre) è presto fatto: non solo i musei italiani sono oggi in grado di esporre meno di un terzo di quanto possiedono in cantina, ma si pongono addirittura dei problemi di censimento. Non esiste una mappa aggiornata delle opere d'arte, degli scavi già realizzati e di quelli potenziali, degli archivi di cui è piena la penisola, assai più di qualsiasi altra parte del mondo. «Questo è un settore», aggiunge De Michelis, «particolarmente indicato per l'im-

piego della gran massa di giovani scolarizzati e poco propensi al lavoro manuale, che costituiscono buona parte della disoccupazione attuale». Si pensi alla sconfinata gamma degli esperti restauratori: per chi non riesce a valicare l'ostacolo del numero chiuso nelle apposite scuole pubbliche ci sono nuove strade. Intanto i sempre più numerosi corsi privati, ma poi anche il vero e proprio apprendistato presso i consorzi e le cooperative che già operano alle dipendenze degli enti pubblici.

Anche le nuove tecnologie troveranno applicazione in questo campo: la termografia per conservare le opere d'arte, lo studio degli agenti microbiologici, il trattamento dei metalli antichi. Centri specializzati esistono al Politecnico di Milano, alla facoltà di Lettere di Trieste, al Centro internazionale per la conservazione e il restauro di Roma.

Sanità. L'invecchiamento rapido della popolazione, il fatto che fra pochi anni gli ultrasessantenni diventeranno il 40 per cento degli italiani, sono elementi che modificheranno a fondo il sistema dell'assistenza sanitaria. Prendiamo ad esempio il Comune di Milano. In breve tempo ha dovuto più che raddoppiare i propri centri di assistenza domiciliare agli anziani, mentre in tutte le venti zone in cui è suddivisa la città partivano i corsi di ginnastica e di nuoto per la terza età. Dietologi, terapisti, istruttori di educazione fisica, fisioterapisti, animatori, assistenti a domicilio: la vecchia figura del paramedico si sta già frammentando in molte specializzazioni diverse, alle quali le strutture pubbliche non riescono neppure a tener dietro. E allora entra in campo, giocoforza, la formazione privata, magari attraverso cooperative fondate da volontari e solo successivamente convenzionate con i Comuni.

Se da un lato fioriscono perfino i corsi professionali per collaboratori domestici (la Fondazione Clerici ne cura anche la successiva organizzazione in cooperative), dall'altro non mancano le applicazioni delle nuove tecnologie. La telemedicina obbligherà il vecchio infermiere e riconvertirsi come operatore informatico. A livello ancora più elevato nascerà una classe di specialisti in diagnostica computerizzata.

**Roberto Di Caro
e Gad Lerner**

L'Espresso - 19 maggio 1985

la violenza da stadio

lo sport   □ la Repubblica
mercoledì 21 dicembre 1983   PAGINA **38**

Ecco forse come si possono respingere i nuovi barbari

Se il calcio ha capito di essere in guerra adegui le sue leggi

di MARIO SCONCERTI

Radiazione per i presidenti intemperanti; penalizzazione in punti delle società al posto delle multe; posti numerati in ogni settore dello stadio; massima collaborazione con le forze dell'ordine (che hanno ormai capito la gravità della situazione)

L'UNICO lato positivo della lunga domenica di violenza è che adesso sanno tutti che esiste, tutti hanno capito che è grave e che va combattuta. Se siamo arrivati alle turbolenze attuali lo si deve a chiunque opera nel settore, ma forse anche alla bonomia con cui i teppisti del calcio sono stati trattati fino ad ora. Provvedimenti blandi, qualche volta paternalistici, qualche tentativo di intervento duro subito sommerso dalla grande quantità di altri problemi che assillano le forze dell'ordine. Così per gradi abbastanza spicci, quelle che sembravano le inquietudini di piccole bande giovanili, sono diventati gli sfoghi di gruppi criminali.

Il punto adesso è come difendersi. E' chiaro che qualcosa deve cambiare, nell'atteggiamento di tutti, giornalisti compresi. Trattandosi spesso di una vera e propria guerriglia urbana che anticipa abbondantemente la partita o ne è la sua coda, è difficile pensare a città presidiate per due giorni interi dalle forze dell'ordine. Tra l'altro si tratta sempre di grandi città con mille altri appuntamenti che richiedono altri presidi, altri stati d'allerta. Forse la vera strada da battere è la prevenzione. Non è pensabile che un pugno di terroristi da stadio disperso in dodici grandi centri tenga in mano un'organizzazione colossale come il calcio. Tutta gente che accoltella sì nei punti più impensabili, ma che trascina poi le sue «intemperanze» regolarmente anche sugli spalti, con appuntamenti fissi. Gente spesso conosciuta anche dai capi tifosi ufficiali, quelli a diretto contatto con le società.

Non è un caso che a Firenze ed a Milano, non appena si è agito con durezza e tempestività, si sia subito risaliti a dei volti e a dei nomi. Se le società, i clubs, i tifosi stessi, lo vorranno veramente con forza, con decisione ed un pizzico di spregiudicatezza, il calcio è sicuramente in grado di farsi difendere adesso che la sua violenza è uscita dal «ghetto» per diventare violenza comune e basta, senza nessun addolcimento passionale.

Ma se le forze dell'ordine possono fare tantissimo molto può fare anche il governo del calcio. Se siamo in guerra, le leggi di pace vanno perlomeno riviste. Vediamo come.

1) Penalizzazioni in punti — E' forse il caso di spingere ai limiti massimi la responsabilità oggettiva. Se è vero che la squadra di calcio è la nuova religione di giovani senza ideali, colpiamoli in quello che hanno di sacro. Piovono sanpietrini, arance, palle di neve ghiacciata, un qualunque altro tipo d'oggetto? Basta con le multe che non servono a niente. Si tolgono i punti alla squadra. Il calcio penalizza per i tentativi di illecito, sarebbe così ingiusto penalizzare per quelli che sono potenzialmente dei piccoli tentati omicidi? Lo scorso campionato all'Inter venne data partita vinta a Torino contro la Juve non tanto perché il suo pullman era stato preso a sassate, quanto perché dei vetri in frantumi avevano colpito Marini impedendogli di andare in panchina. La gravità della punizione diventa allora solo un problema di mira. Se butti giù il pupazzo vinci, altrimenti è come se non avessi tirato?

2) Occorrono punizioni durissime a qualunque tesserato si lasci andare a gesti di intemperanza. Ancora più dure se i tesserati sono presidenti di società. Quello che ha fatto Chinaglia domenica scorsa non può essere tollerato, qualunque fosse il torto subito (vero o presunto). Forse è l'ora che Federazione e Lega preparino di comune accordo regolamenti in cui si preveda la radiazione di presidenti intemperanti. Non solo. Ma è sicuramente l'ora che si impedisca di diventare presidente al primo ricco in cerca di pubblicità. Non è più il caso di Chinaglia, chiaro, ma una legge che permetta di indagare sul pedigree morale degli aspiranti presidenti, potrebbe poi evitare di ritrovarsi con molti dei suddetti in carcere o in forti grane con la giustizia ordinaria (come invece continua a succedere).

3) Si provveda finalmente a ristrutturare gli stadi, tra i più vecchi e scomodi d'Europa. Si numerino i posti di qualunque settore. Si otterrà forse di fornire uno spettacolo meno esasperato da attese lunghissime e soprattutto di poter individuare molto più facilmente i teppisti di turno.

Il condannato fu arrestato in dicembre dopo una partita

Ergastolo al teppista

Sorprendente sentenza in Inghilterra

LONDRA — «E' a causa di comportamenti come questi che un'intera generazione di cittadini britannici viene considerata oggi nel mondo come composta di pericolosi delinquenti». Con queste parole il giudice londinese Michael Argyle ha motivato la condanna all'ergastolo per un tifoso di calcio responsabile di avere ferito parecchie persone.

Il condannato è Kevin Whitton, un artigiano di 25 anni residente a Croydon nei sobborghi di Londra, che in occasione della partita Chelsea-Manchester United disputatasi nel dicembre scorso a Londra, si era abbandonato insieme ad altri a quella che il giudice ha definito una autentica «orgia di distruzione e di violen-

za». In un «pub» e in un bus nei pressi dello stadio Whitton e una ventina di altri giovani scalmanati si sono abbandonati a gesti di una ferocia inaudita.

La pubblica accusa nel corso dell'udienza è riuscita a produrre testimonianze inoppugnabili come quella di un giovane di 19 anni che ha raccontato alla corte la terrificante scena con cui i ragazzi lo hanno aggredito dentro un autobus staccandogli a morsi una parte dell'orecchio. «Un altro dei feriti, un cittadino americano, sarebbe morto sicuramente di emorragia — ha detto il giudice — se i pompieri intervenuti in tempo non lo avessero portato subito al pronto soccorso».

Scene di ferocia selvaggia anche dentro un pub dove Whitton ha ferito gravemente il proprietario e per questo solo reato ha ricevuto una condanna aggiuntiva a dieci anni, pena che è stata inflitta anche ad un disoccupato di 23 anni che lo aveva aiutato a massacrare di botte uno dei camerieri del locale.

La sentenza, che indubbiamente è stata suggerita al giudice dai fatti di Bruxelles e da altri numerosi episodi di violenza prodottisi negli stadi inglesi durante gli ultimi mesi, ha già suscitato polemiche. Molti avvocati ed esperti di diritto l'hanno definita «incredibile» pur riconoscendo che la legge inglese per questo tipo di reati non prevede alcun limite alla pena.

Ergastolo al teppista: reazioni unanimi;
24 arresti a Millwall dopo una partita

"Condanna giusta" L'Inghilterra ha applaudito

LONDRA — La decisione di punire con l'ergastolo Kevin Whitton, un teppista inglese protagonista di gravi episodi di violenza, ha riscosso molti pareri favorevoli. Tutti in gran Bretagna, a partire dalle associazioni calcistiche alle personalità politiche, si sono schierate a favore del giudice Argyle, non nuovo ad un atteggiamento severo verso i teppisti del calcio.

Due anni fa, ad un teppista malmenato dai compagni di cella mentre attendeva il processo, lo stesso giudice aveva detto: «Adesso sapete cosa si prova...». Al momento di leggere la sentenza Argyle ha dichiarato: «Non mi sembra giusto, per il momento, stabilire una data definitiva per il vostro rilascio. Il carcere a vita, nel vostro caso, è la soluzione migliore».

«Questa sentenza è un monito per tutti i potenziali teppisti degli stadi: i giudici non avranno pietà», ha commentato la federazione cal-

cio inglese. «Era ora che questi criminali cominciassero ad essere trattati come delinquenti e non come ragazzacci — ha affermato il deputato conservatore Anthony Beaumont-Dark — questo giudice merita la riconoscenza di tutta la nazione».

«E' normale che la violenza produca pene violente» ha dichiarato, a sua volta, Robin Corbett, responsabile del partito laburista. Solidarietà al giudice è stata offerta anche dall'ispettore Peter Mannion, della federazione di polizia: «E' giunto il momento delle sentenze spietate: per i teppisti non ci deve essere clemenza».

Proprio ieri una squadra di calcio inglese ha lanciato un appello ai tifosi perché collaborino alla cattura del capo della banda di teppisti di cui Whitton faceva parte. «Abbiamo 23 mila investigatori — ha detto Ken Bates, presidente

del Chelsea — i nostri tifosi, e contiamo su di loro per scovare questo tipaccio». Si cerca un uomo grasso che il 29 dicembre scorso con un coccio di bottiglia sfregiò il tifoso di una squadra rivale.

Intanto ieri pomeriggio si sono verificati gravi incidenti alla periferia di Londra durante la partita fra Millwall e Leeds del campionato di serie B. Un poliziotto, colpito da un mattone tirato dalle tribune, è stato ferito. Ben 24 gli arresti effettuati dalle forze dell'ordine.

■ **CONDANNATO TIFOSO GENOANO** — Un tifoso genoano, Roberto Caramelli di 22 anni, è stato condannato a un anno e 15 giorni di reclusione per lesione e porto di coltello proibito. Al giovane sono stati concessi gli arresti domiciliari.

Aids, realtà e psicosi

Dc, Msi, monache e preti mobilitati a Scanzano Ionico

Quasi una rivolta in Calabria per impedire il convegno dei gay

di SILVANA MAZZOCCHI e FRANCO SERNIA

SCANZANO IONICO — Quasi una rivolta di popolo contro i gay e contro il dibattito sull'Aids organizzato per questa sera. La Dc locale in un fonogramma alla prefettura ha chiesto che la manifestazione venga sospesa per «motivi di ordine pubblico e per il timore che la terribile malattia si diffonda». Le suore di Santa Teresina e i preti del paese hanno iniziato una raccolta di firme, e i commercianti minacciano di chiudere i loro negozi. Gruppi di violenti hanno annunciato addirittura che bloccheranno la statale ionica. Dopo questa nuova caccia alle streghe gli omosessuali si lamentano: «Abbiamo perso in un giorno la libertà di volare».

In piazza suore e benpensanti una rivolta contro gli omosex

di FRANCO SERNIA

SCANZANO IONICO — La Democrazia cristiana con un fonogramma alla prefettura di Matera chiede l'intervento del prefetto per evitare che si tenga a Scanzano Ionico il dibattito sull'Aids: «Motivi di ordine pubblico e timore che la terribile malattia si diffonda», si dice nel dispaccio. Le suore di Santa Teresina e i preti del paese, coordinati da don Rocco Duva, hanno iniziato una raccolta di firme — e, a sentir loro, in poche ore sarebbero già 250 — per testimoniare la volontà contraria della cittadinanza perbenista all'arrivo degli omosessuali nel paese.

I commercianti minacciano di chiudere oggi i loro esercizi: «Non vogliamo che quelli tocchino la nostra merce e bevano nei nostri bicchieri». Il Movimento sociale destra nazionale ha tappezzato i muri e gli alberi del paese con un manifesto apparso all'improvviso ieri pomeriggio alle 15,30 (titolo: In difesa dei normali. Sottotitolo: Similes cum similibus), in risposta a quello fatto affiggere dalle amministrazioni socialcomuniste di Scanzano e Rotondella in difesa dei diversi. Gruppi di violenti hanno minacciato addirittura il blocco della statale 106 ionica, per impedire fisicamente che gli omosessuali si avvicinino all'abitato del paese. E infine manifestazioni di intolleranza nei confronti di Pino Bianco, comunista, assessore alla Cultura di Scanzano, colui che ha gestito l'organizzazione del dibattito sull'Aids, previsto stasera alle 21. Ormai lo scontro si radicalizza. Diventa politico.

Dunque si ricomincia. La travagliata vacanza-campeggio dell'Arci-gay presso lo scoglio Cervaro di Rocca Imperiale, un paese a venti chilometri da Scanzano Ionico, non accenna a rasserenarsi. Per due giorni, dopo le note vicende, gli omosessuali hanno potuto godersi il sole e il mare, che è poi il motivo fondamentale della scelta di quella località, per una vacanza costata il modico prezzo di cinquemila lire al giorno. Oggi, invece, si riprende. E la polemica si fa sempre più aspra.

L'amministrazione di Scanzano e quella di Rotondella, i due comuni della Basilicata che insieme a quello calabrese di Amendolara hanno offerto ospitalità a tutti gli iscritti dell'Arci pervenuti a Rocca Imperiale, hanno querelato l'Msi di Scanzano Ionico per il manifesto affisso, giudicandolo profondamente offensivo nei confronti di ogni cittadino democratico. Sino alle 20 di ieri sera i commercianti sono stati sul punto di chiudere, oggi, tutti i loro esercizi. Ma la riunione nell'ufficio di Mario Altieri, assicuratore democristiano, che ha girato negozio per negozio, non ha sortito l'esito sperato. La maggioranza dei commercianti ha respinto la proposta di chiudere i battenti, avanzata dalla sezione dc di Scanzano. «Non siamo contro i diversi» ha dichiarato lo stesso Mario Altieri, «siamo contro coloro che fanno passare per cultura dominante quella dei diversi. Tra l'altro la cittadinanza non è stata adeguatamente preparata all'arrivo di due o trecento omosessuali che chissà quali scompensi psicologici può provocare in un paese piccolo e con soltanto un paio di gay conosciuti».

Il dottor Bisogno, capo di gabinetto della prefettura di Matera, ritiene però che la manifestazione si terrà regolarmente: «Rinforzeremo la sorveglianza, questo sì, ma per il resto non credo che interverremo perché non si faccia. Comunque lo deciderà il prefetto».

La tenenza dei carabinieri e i vigili del fuoco di Policoro sono stati allertati. Il timore più grande è che il Palazzaccio Baronale di Scanzano, dove si terrà il dibattito sull'Aids e che per altro ospita da molti anni manifestazioni simili, sia dichiarato inagibile.

Gli ospiti del dibattito hanno intanto confermato la loro presenza. Ci sarà Giovanni Battista Rossi, presidente del laboratorio di virologia dell'Istituto superiore della Sanità, l'uomo che per primo ha isolato in Italia il virus della sindrome da immuno-deficienza acquisita. Ci saranno le amministrazioni comunali di Scanzano, Rotondella e Amendolara. Ci sarà forse l'onorevole socialista Giacomo Mancini, calabrese.

Nonostante tutto, gli abbronzati gay dello Scoglio raggiungeranno compatti, stasera alle 21 su due pullman noleggiati, Scanzano Ionico. «Ormai più nulla ci spaventa dopo la solidarietà dichiarataci dalla stessa popolazione di Rocca Imperiale. Una delegazione di cittadini si è trattenuta anche a pranzo con noi, martedì scorso».

Un pizzico d'arte, durante il dibattito, sarà garantito da Teresa Follino e Gaetano Di Matteo, due pittori, solidali con i gay, che dipingeranno un telone di 12 metri durante la discussione. La vendita dell'opera verrà devoluta ai malati di Aids.

119

Se ricomincia la caccia alle streghe

«**A**ids cancro omosessuale». Vero? Falso? Che importa, l'allarme si diffonde, il panico si insinua e allora dalli al nuovo untore, dalli al gay.

Nella puritana America due omosessuali colpiti dal virus, invitati a un dibattito pubblico in televisione, hanno potuto parlare solo per telefono, rinchiusi dentro una cabina telefonica, come appestati. Nell'anglicana Inghilterra si è arrivati perfino a chiederne la castrazione e Scotland Yard ha trasferito a una piccola stazione di polizia un giovane cuoco soltanto sospettato di omosessualità.

E nella cattolica Italia? A Milano un cameriere licenziato da un bar, a Venezia un gay sfrattato di casa, sulla riviera romagnola altri due cacciati da una stanza d'albergo; alle Nuove, le carceri di Torino, protesta dei detenuti contro tredici compagni, quasi tutti omosessuali, portatori sani del virus; a Riccione albergatori in rivolta per il progetto di un festival del cinema gay.

A Rocca Imperiale, al confine tra Calabria e Lucania, un raduno omosessuale in riva al mare contestato dalla gente del paesino. Così: «C'è pericolo di contagio di un male letale, nonché di altre infezioni, epatite virale, tifo eccetera...».

Il campeggio è andato quasi deserto e l'Arci gay, il più grosso movimento organizzato, cinquemila iscritti a pochi mesi dalla nascita, ha chiesto mezzo miliardo di risarcimento danni.

«Altro che allarmismo, altro che caccia alle streghe; questo è razzismo, è fascismo» ha dichiarato a *Panorama* il segretario nazionale Franco Grillini. E se la prende anche con la stampa: «È una psicosi ingiustificata, assurda; il nostro è l'unico Paese dove gli omosessuali non sono i più colpiti dal virus». Nella tragica classifica dell'Aids il primo posto tocca ai tossicodipendenti, ma gli omosessuali restano tra le categorie a rischio: ne sono più che consapevoli, i loro costumi sessuali mutano, la loro stessa vita sta cambiando, è già cambiata. Ormai sono uno specchio per l'intera società.

Ha scritto a *Babilonia*, la rivista dei gay italiani, un malato di Aids: «Sono pressoché isolato, impedito in quasi tutti i miei contatti, peggio dei carcerati. Mi portano il cibo bardati come marziani, mi travasano la minestra in quella scodella sulla sedia come si fa con i cani. Mi salutano dalla vetrata». E ancora, più accorato: «Chi come me fa l'amore con gli uomini non si può più nascondere l'eventualità di contrarre il morbo fatale e quindi se ha un minimo di buon senso ne viene frenato o addirittura distolto. Ma allora quale alternativa rimane a un gay? D'accordo prima o poi si muore, ma doverlo fare a causa del mio già ostacolato desiderio d'amore mi pare davvero ingiusto».

Sotto l'effetto Aids i tre milioni di omosessuali italiani (cifra ufficiale dell'Organizzazione mondiale della sanità ma l'Arci gay ritiene che sia molto più alta) sono stati costretti a rinunciare soprattutto alla promiscuità, al cambio eccessivo, spesso ossessivo di partner, sera dopo sera.

Saune e discoteche gay, che negli ultimi anni si erano sempre più diffuse, hanno perduto clienti. E i posti classici dell'amore omosessuale per strada hanno cambiato volto: «Una desolazione, non si incontra più nessuno» si lamenta un irriducibile frequentatore di Monte Caprino a Roma, pendici del Campidoglio, dove in passato furono assassinati due omosessuali. Oggi il pericolo viene da un'altra parte, gli sconosciuti sono avvicinati con estrema cautela e diffidenza: «Gli americani e quelli che un tempo ritornavano da New York erano ricercatissimi, li accoglievamo a braccia aperte, adesso non li vogliamo neppure vedere».

L'Aids dunque ha causato paura e discriminazione tra gli stessi gay. Il crollo della sfrenata promiscuità, per quanto non frutto di una libera scelta, tuttavia è ritenuto positivo. Dice Luigi Bellucci, presidente dell'organizzazione culturale romana Arcipelago gay: «Abbiamo ripetuto per anni tutto buono, tutto bello, tutto lecito. Magari era lecito, ma era anche una grande stupidaggine». E adesso? «Maggiore attenzione ai rapporti di coppia, alla fedeltà. Si riflette, si considera il partner non come oggetto sessuale, usa, cambia, getta. L'Aids ha messo in discussione certi nostri modi di vita».

Un mutamento radicale, profondo, senza precedenti nel mondo gay, gli affetti sono diventati importantissimi. Racconta Marco Mattolini, uomo di teatro, tra gli organizzatori di Love City, programma di punta dell'Estate romana: «Conosco due amici, uno, pur non avendo la malattia, ha avuto il contatto con il virus; tra loro c'è precauzione c'è paura, ma anche una ricerca dell'interiorità del rapporto, insomma una drammatica cartina di tornasole della validità della coppia».

Proprio questo, però, è il grande problema degli omosessuali, Aids o non Aids. Spiega Franco Grillini: «Stare insieme, come una qualsiasi altra coppia ci è stato sempre negato. Per tanto tempo siamo stati costretti a nasconderci, adesso che stavamo superando tutte le nostre angosce il virus ci ha fatto segnare a dito e rischia di far tornare gli omosessuali nella clandestinità. E perfino a vergognarci della nostra morte».

Ecco la vera tragedia dell'Aids per il mondo gay. Ma, aggiunge Grillini, le crociate antiomosessuali non sono di oggi: «Sapete perché ci chiamano in un certo modo? Un tempo la Chiesa ci mandava al rogo, e per mascherare l'odore della carne bruciata tra le fascine di legna venivano messe erbe e ortaggi. E a noi è rimasto addosso quell'epiteto volgare. Finocchi».

Antonio Padalino

Panorama - 1 settembre 1985

AIDS E LIBERTÀ

di Giancesare Flesca

**La paura dell'Aids, spesso esagerata, sta cambiando il costume
degli americani. Attraverso i nuovi controlli
sanitari vengono messi in pericolo i diritti civili**

All'inizio c'era l'indifferenza, sembrava quasi che quella strana e terribile malattia fosse poco reale, un dramma degli "altri". Con l'estate di quest'anno venne la svolta. Arrivò da Hollywood, come molti fenomeni di massa in una società fondata sullo spettacolo dove anche catastrofi e pestilenze hanno bisogno dell'immagine per materializzarsi. L'immagine era quella di Rock Hudson consumato dal male; lo show fu l'inesorabile agonia da lui offerta in pasto al pubblico fra quando annunciò di avere l'Aids — era luglio — e il giorno d'ottobre in cui se ne andò. Straordinaria, superba interpretazione, la migliore della sua carriera: perché era riuscita a scuotere violentemente l'America dall'apatia, proprio come si proponeva.

In che modo è successo? Semplice, rispondono gli esperti della società-spettacolo. Qualunque cosa attenga a un divo di Hollywood, poco importa se nel bene o nel male, entra subito a far parte del patrimonio comune della famiglia americana, diventa un fatto della quotidianità come i cereali a colazione o le soap-opera. Nulla può contrastare un processo del genere, neppure la dichiarata appartenenza di Hudson alla comunità omosessuale, notoriamente esposta più di ogni altra al contagio. Anzi, quella scoperta ha innescato un meccanismo inverso. Se l'attore era riuscito a mascherare le sue propensioni tanto bene da diventare un sex symbol maschile, chi può mai garantire all'uomo della strada che non sia gay anche il vicino di casa, il lattaio, quel collega d'ufficio così lunatico? E se il confine fra normalità e diversità diventa tanto spesso impercettibile, come si può essere sicuri che il contagio resterà chiuso fra le mura della devianza?

Così complice un'informazione onnivora e sempre più veloce, l'argomento Aids ha investito in pochi mesi la vita americana con la violenza di un tornado. Dire che se ne parla ovunque, sui media, fra la gente qualunque, al Congresso, non basta a dare una misura appropriata del fenomeno. Né bastano vocaboli come "panico", "terrore", "fobìa". Non sono neppure sufficienti le previsioni sul decorso di quest'ondata d'isteria collettiva: certo, quanto prima l'argomento sarà al numero uno nella graduatoria di priorità americane. Certo, politicanti e moralisti senza troppi scrupoli se ne approprieranno e tenteranno di usarlo ai propri fini, come già in parte stanno facendo. Certo, non ha torto il leader della Nuova destra Paul Weyrich quando afferma che l'Aids sarà «l'argomento segreto che farà da cornice alle elezioni congressuali dell'86». Ma tutto questo non basta ancora a descrivere compiutamente il processo in corso.

Si ha l'opprimente sensazione che l'impatto dell'Aids stia colpendo questa società più al profondo, in quelle zone semi-nascoste dove paura, fede e superstizione si fondono insieme con la volontà di castigare l'arroganza del progresso. Sembra insomma che il fantasma della malattia, l'incertezza delle sue origini, l'incurabilità dei suoi esiti, proiettino un'ombra di medioevo sulle superfici di vetrocemento delle megalopoli, New York prima fra tutte.

Già, perché il triste primato dell'Aids lo abbiamo qui a New York, con quattromila dei tredicimila casi accertati finora negli Stati Uniti. Ed è attraverso tre momenti vissuti nella capitale dell'impero che cercheremo di raccontare la malattia.

LA SINDROME DELLA LEBBRA

Il primo sintomo sono i bicchieri. Questa è una casa dove gli ingredienti del sogno americano ci sono tutti. Una bella terrazza che affaccia su Park Avenue. La biblioteca pannellata in noce, segno sicuro di antica opulenza. Un paio di camerieri in giacca bianca a presidio del tavolo ovale attorno al quale siedono una dozzina di ospiti. Piatti di Limoges, argenteria quanta ne occorre. Ma i bicchieri sono di plastica. No, non è certo per risparmiare fatica alla padrona di casa. È il galateo della nuova lebbra, le regole che tacitamente si sono stabilite nella buona società newyorkese da quando l'Aids è diventata la fobia dominante. È vero, gli scienziati dicono che il virus non si può contrarre casualmente, stringendo le mani di un malato o bevendo nel suo stesso bicchiere. Ma chi crede agli scienziati? I sondaggi dicono che il 42 per cento degli americani è convinto di poter prendere l'Aids anche attraverso un contatto assai indiretto, e in America i sondaggi sono il Verbo. Ecco perché stasera i bicchieri sono di plastica.

Non sono tic dei soli ricchi. Molti ristoranti delle zone prevalentemente gay della città servono ormai i cibi soltanto in contenitori "disposables", da buttar via dopo l'uso. I bicchieri di carta o di plastica si fanno strada anche nei bar e nei coffee-shop di stretta obbedienza eterosessuale, alcuni dei quali hanno speso fino a cinquemila dollari per comprare centrifughe in grado di "sterilizzare" tutto.

Nella casa elegante di stasera, la conversazione gira oziosa intorno a vari argomenti poi cade, inevitabile, sulla questione. Ognuno ha la sua da raccontare. Il dentista di grido annuncia che quando ha in cura pazienti "sospetti" (leggi omosessuali) indossa maschera e guanti perché il contagio può avvenire attraverso la saliva. L'imprenditore di solida stirpe fa sapere che ha sottoposto ad esame degli anticorpi tutti i suoi dipendenti e ne ha licenziati due perché risultavano positivi. Un giovane avvocato gli fa notare che quel test non significa nulla e che, volendo, i due licenziati potranno citarlo in giudizio; ma l'industriale alza le spalle, fra l'approvazione dei presenti. Il capo di una importante società di pubbliche relazioni di Madison Avenue confessa il suo problema: uno dei suoi impiegati ha l'Aids, poveraccio, niente contro di lui, ma la sua presenza in ufficio lo deprime; e in un mestiere come il suo bisogna essere sempre "su". Che fare allora? Per ora ha scelto una via di mezzo, passando il malato ad orario ridotto. così almeno di pomeriggio non lo vede e non gli si guasta il buonumore; poi si vedrà...

Ognuno dei commensali ha già versato la sua brava dose di dollari ai vari progetti che si propongono di combattere l'Aids (è denaro che va in deduzione dalle tasse), ma nessuno, per la verità, sembra preoccuparsi troppo degli aspetti umani del problema. E del resto, chi sono i malati? Omosessuali, drogati, prostitute, minoranze di colore. Una anziana signora, uscendo allo scoperto, parla apertamente di "castigo di Dio", di "legge del contrappasso". Nessuno le fa eco perché anche in ambienti come questo non è opportuno mostrarsi troppo arretrati; ma c'è da scommettere che una buona parte di questa "vecchia borghesia" vede nell'Aids quanto meno uno strumento drastico ma opportuno per riportare ordine nella New York dei facili costumi, della promiscuità sessuale, dei bagni pubblici aperti a tutti.

GLI UNTORI

In tempi che ormai sembrano lontanissimi, fra le mura di questo circolo del Greenwich Village si predicava il "gay pride", l'orgoglio dell'omosessualità. Dicevano a quei tempi i leader omosessuali che era venuto il momento di uscire dalle catacombe del peccato e della clandestinità, di proclamare senza finzioni la propria "diversità" sessuale, traendone ragione di fierezza, non di vergogna. Adesso, vent'anni dopo, nello stesso circolo si respira paura. «Siamo di fronte alla più poderosa ondata di omo-fobìa mai vissuta da questo paese», dice Neil Findley, uno dei soci fondatori. Le prove? I centri di cultura "gay" della West Coast vengono regolarmente colpiti da bombe incendiarie. In tutta l'America "dura e pura" si vendono auto-adesivi con la scritta: «I froci? Li cura l'Aids!». Il candidato alla carica di sindaco di una grande città texana ha illustrato per radio i suoi quattro sistemi per combattere la malattia del momento. Poi, quando credeva — ma lo credeva davvero? — che il microfono fosse spento, ha aggiunto: «Ce ne sarebbe un quinto, sparare a tutte le checche...».

In una diocesi battista vicino a Pittsburgh dove fra i fedeli vi è un'alta percentuale di gay la comunione non viene più somministrata con il calice comune, ma spezzando più igienicamente il pane. Che altro? Business di proprietà di omosessuali che chiudono a catena, ristoranti e bar "misti" disertati improvvisamente dagli avventori e costretti a cambiare nome o gestione, camerieri invitati a "camminare da uomini", impiegati licenziati perché "a rischio", assicurazioni che rifiutano coperture sulla vita a chi si dichiara omosessuale, considerandolo molto più esposto della media al pericolo di morire anzitempo. E ancora: attori di Hollywood obbligati dal sindacato a farsi visitare prima di recitare una scena dove ci sia di mezzo un bacio; stilisti alla moda abbandonati dalle loro fan; un famosissimo fioraio di Miami costretto a chiudere da un giorno all'altro perché "sospetto".

«Ci hanno descritto come gli untori, i portatori esclusivi del nuovo male. Un deputato repubblicano, Bill Dannermeyer, è arrivato addirittura a dire che avremmo potuto mettere in atto una campagna di "terrorismo del sangue" (facendo donare sangue a malati già infetti di Aids) per pura crudeltà. Nessuno ha detto che questa malattia può colpire anche gli eterosessuali. Nessuno ha spiegato finora che non basta sedere vicino ad un gay sulla metropolitana per contrarre il virus...».

Le lamentazioni degli attivisti gay sono molte, drammatiche e quasi sempre fondate. Le autorità mediche americane non si sono mosse finora in maniera coerente. La stessa chiusura dei bagni pubblici a New York serve soltanto, secondo molti studiosi, ad alimentare le psicosi anti-omosessuale, non a limitare i rischi dell'epidemia. Non si sfugge all'impressione che sia in atto un massiccio tentativo per ricacciare i gay all'epoca delle catacombe, per privarli non soltanto d'ogni forma di "orgoglio" ma perfino dei diritti primari e delle più elementari sicurezze. Quando il governatore dello Stato di New York Mario Cuomo, che pure ha fama di liberal, arriva a minacciare irruzioni di polizia negli alberghi per vedere se nelle stanze si svolgono pratiche omosessuali "ad alto rischio", diventa chiaro che di fronte al male il potere politico sceglie la strada della repressione selettiva: «Un modo», dice Miriam Sayre, studiosa del problema, «per farsi applaudire dall'opinione pubblica, non certo per fronteggiare la situazione».

Al club del Village, stasera, l'umore prevalente è depresso. Nessuno risponde a Larry Kramer, uno dei padri spirituali del movimento, quando abbozza una prima autocritica contestando la leggerezza con cui l'idea di promiscuità si diffuse fra i gay nei '60 e nei '70. Nessuno reagisce quando Mark Kristopher, uno di San Francisco, prevede cupo: «Non appena la malattia arriverà ai normali, e ci arriverà, allora sì che le nostre comunità rischieranno ogni giorno la lapidazione».

LE LIBERTÀ CIVILI

Col passare degli anni e con l'alternarsi degli editori, il "Village Voice" resta ancora un caposaldo "radical" nel panorama della stampa americana. La sua redazione, dove siamo adesso, è piena di giovanotti zazzeruti, le foto sono irriverenti, lo stile è quello di un perenne e ostentato ribellismo: di fronte a Richard Goldstein, uno dei redattori, è seduto Marck Seanack, direttore dei servizi legali al Gay Men's Health Crisis, un centro di soccorso omosessuale. Parla delle telefonate che riceve e dice: «Il cerchio si allarga. Prima veniva discriminato soltanto chi aveva l'Aids. Adesso chiunque conosce qualcuno che ha l'Aids. Non ci vorrà molto perché si colpiscano tutti i possibili portatori di Aids».

E quanti sono questi "portatori sani"? La cifra che vien fuori è paurosa. Un milione di americani. Fra loro solo il 10 o il 15 per cento svilupperà la malattia; ma intanto ognuno di loro è in grado di trasmettere il virus. Finora, dice Goldstein, i vertici medici del paese e la classe politica hanno preferito chiudere gli occhi di fronte a questa realtà, che

accomuna omo ed eterosessuali, gente di ogni razza, colore ed età. Ma quanto potrà durare ancora questo atteggiamento?

Per il momento si sa soltanto che qualcuno, ai massimi livelli, ha incaricato il dott. William Curran dell'Università di Harvard di «studiare le possibili ramificazioni legali dell'Aids». In verità questo scienziato, applicando modelli matematici agli scenari possibili da qui a qualche anno, sta studiando la eventualità di una "quarantena di massa" per i malati di Aids e per i portatori sani.

Né sono studi astratti. Il commissario per la salute del Texas, Derb Bernstein vuole già da ora l'applicazione della quarantena e il Parlamento statale sta studiando una legge per istituirla. Un funzionario del dipartimento della Salute a San Antonio (sempre Texas) ha mandato una lettera ai sette pazienti locali di Aids minacciandoli di prigione se avranno rapporti al di fuori del loro ristretto club. Una prostituta ammalata in Florida è stata condannata ad indossare uno speciale collare elettronico che segnala alla stazione di polizia quando esce di casa.

Di questo passo, dove andremo a finire?, si chiedono sgomenti i difensori delle libertà civili, amici come questi seduti di fronte a noi alle scrivanie del settimanale. Le previsioni non sono fauste. Un politologo avverte che ancora la faccenda non è stata messa a fuoco e che, quando lo sarà, «diventerà esplosiva, nel senso che potrà esplodere in faccia a tutti». Un analista d'opinione sostiene che già adesso un terzo degli americani sono favorevoli alla quarantena. Il teorico della Nuova destra, Paul Weinrich, dice che i politici non vogliono affrontare il problema «perché la lobby degli omosessuali è fortissima», propone una serie di rimedi, lui preferisce chiamarli "opzioni", che vanno dal «controllo generale della popolazione» alla «notizia obbligatoria di ogni rapporto omosessuale fra maschi» via via fino alla quarantena e all'istituzione di campi di concentramento come quelli nei quali furono rinchiuse fra il '14 e il '18 ventimila prostitute.

Un milione di americani dietro le sbarre, dunque? I colleghi del "Voice" scuotono le loro zazzere, dubbiosi e sconfortati. Finora soltanto loro e qualche piccolo giornale d'opinione hanno denunciato i rischi collegati al terrore dell'Aids. La grande stampa ha taciuto, la televisione non ha detto nulla. Il pericolo è che ancora una volta, come spesso è accaduto nella sua storia, l'America si scopra un bel giorno meno libera, meno America di prima, senza che nessuno abbia avuto tempo e modo per accorgersene.

□

L'Espresso - 2 febbraio 1986

A quando per l'Aids la "colonna infame"?

di ALBERTO ASOR ROSA

TROVO strano che nessuno abbia osservato (o almeno io non ne sono a conoscenza) che i fenomeni di panico e di pregiudizio connessi con la diffusione dell'Aids sono stati già attentamente studiati e, direi, catalogati con rara precisione analitica da un importante autore italiano del secolo scorso.

Questo autore si chiama Alessandro Manzoni, e l'opera in cui la suddetta analisi è esposta si intitola *Storia della colonna infame*. Il contenuto ne è noto, ma vale forse la pena di riassumerlo per i lettori non specialisti.

Nella Milano del 1630 infuriava una terribile pestilenza (la stessa descritta nei capitoli giustamente famosi dei *Promessi Sposi*). Le autorità si rivelano incapaci di fronteggiare con adeguate misure mediche ed igieniche lo sviluppo del morbo. Molto più facile risulta, anche in rapporto alle condizioni morali e culturali del tempo, ricorrere all'ipotesi di una volontà umana malefica, anzi diabolica, che diffonde il morbo in odio alle istituzioni sociali, politiche e religiose vigenti. L'ignoranza dei più fa da sgabello alla nequizie dei giudici. Le testimonianze della povera gente, opportunamente sollecitate, servono a scatenare la macchina inquisitoria. Si accusano alcune persone di spargere la pestilenza, ungendo di un liquido infetto i muri della città e gli arredi dei luoghi dove si verificava allora una particolare concentrazione di folla, soprattutto le chiese.

In breve: i presunti untori vengono sottoposti a tortura. Dapprima resistono disperatamente; poi confessano; confessano tutto quello che i giudici avevano fin dall'inizio deciso che dovessero confessare. Nessuna inverisimiglianza, nessuna contraddizione all'interno di quelle stesse confessioni serve ad arrestare il corso inesorabile della giustizia. I rei confessi vengono condotti al supplizio. La casa del principale accusato viene demolita, e sullo spazio creatosi viene eretta, a cura del Senato, principale organismo di governo cittadino, una colonna, a perpetua memoria dell'infamia commessa. L'infamia commessa — vale la pena di precisarlo — non dai giudici ciechi e implacabili, ma dai poveri condannati innocenti.

Tempo ne è passato dal 1630, e anche dal giorno in cui l'appassionata denuncia del Manzoni fu stesa; ma il meccanismo fedelmente si ripete.

È quasi fatale che ogni pestilenza evochi il fantasma degli untori; e il fantasma degli untori serve ogni volta a deviare l'attenzione dalla conoscenza obiettiva del male e dalla ricerca conseguente dei modi per combatterlo, per trasferirla sull'individuazione e persecuzione dei portatori del male, dei propagatori diabolici della pestilenza.

Il cerchio, in questo modo, si chiude, si chiude sempre, anzi, diciamo più drasticamente che non può non chiudersi. Persino una certa esigenza razionale minimale — quella che io chiamerei l'«illusionismo razionale», così potente a livello di massa — ne risulta soddisfatta. Che cosa c'è di più soddisfacente e di più tranquillizzante che trovare facilmente e rapidamente una spiegazione dei fenomeni? Trovare e combattere gli untori è molto più semplice che trovare le cause della pestilenza e appropriatamente combatterle.

Oggi non siamo arrivati alla tortura, ma forse soltanto perché esiste un terrorismo dell'opinione pubblica di massa molto più efficace di quella. A leggere ciò che dell'Aids scrivono certi commentatori americani c'è da provare un reale spavento. In Italia Indro Montanelli che non ha mai creduto veramente in niente, scrive su di un periodico molto diffuso che l'Aids può essere considerato il moderno «castigo di Dio». Si associano, si antepongono, si pospongono e si sovrappongono i fenomeni, le cause e gli effetti con allegra, ma soprattutto torva, disinvoltura logica e scientifica. Siccome portatori e vittime dell'Aids sembrano essere soprattutto drogati e omosessuali, si additano nei drogati e negli omosessuali i «pestilenzialisti» della società moderna. Siccome droga ed omosessualità sembrano essere il prodotto (o la causa? o fenomeni collaterali e marginali?) del processo di liberalizzazione dei costumi e del sesso, la liberalizzazione dei costumi e del sesso diventa la Grande Causa della moderna pestilenza e, invece di preoccuparsi di curare con comprensione scientifica e attitudine etica solidale la pestilenza, s'invoca la soppressione della liberalizzazione dei costumi e del sesso. Aspettiamo con fiducia la prima ondata di gay pentiti. Chissà quante turpitudini potranno svelarci!

Torniamo a Manzoni. In un certo punto del suo libro egli osserva che nelle pestilenze ripetutesi in Europa dopo il 1630 non fu più commesso un errore simile a quello dei giudici milanesi. Ma, prosegue, questo «è, certo, un gran miglioramento; ma se fosse anche più grande, se si potesse esser certi che, in un'occasion dello stesso genere, non ci sarebbe più nessuno che sognasse attentati dello stesso genere, non si dovrebbe perciò creder cessato il pericolo di errori somiglianti nel modo, se non nell'oggetto. Purtroppo, l'uomo può ingannarsi, e ingannarsi terribilmente, con molto minore stravaganza. Quel sospetto e quella esasperazione medesima nascono ugualmente all'occasion di mali che possono essere benissimo, e sono in effetto, qualche volta, cagionati da malizia umana; e il sospetto e l'esasperazione, quando non sian frenati dalla ragione e dalla carità, hanno la trista virtù di far prender per colpevoli degli sventurati, sui più vani indizi e sulle più avventate affermazioni».

Dedichiamo queste parole a tutti i «cacciatori di untori» del nostro tempo.

la Repubblica, 27 agosto 1985

Progetto eutanasia

Fortuna ci parla della sua proposta
Un vescovo dice perché non gli piace

Paolo Francia

Chi la critica ha già parlato di «morte per decreto». Chi la vede di buon occhio rileva che l'uomo va difeso anche nel momento finale della sua esistenza. Così la proposta di legge sulla cosiddetta «eutanasia passiva», che il parlamentare socialista Loris Fortuna ha presentato nei giorni scorsi, fin dall'inizio della sua «storia» desta polemiche.

L'articolo - chiave è il primo: «I medici sono dispensati dal sottoporre a terapie di sostenimento vitale qualsiasi persona che versi in condizioni terminali, salvo che la stessa vi abbia comunque · personalmente e consapevolmente consentito». L'articolo 2 precisa che «per condizioni terminali si intende l'incurabile stato patologico, cagionato da lesione o da malattia e dal quale consegue la inevitabilità della morte». In sostanza, non si tratta di eutanasia «attiva». Tale sarebbe il caso del malato incurabile che viene letteralmente ucciso per alleviargli le sofferenze. Nell'eutanasia «passiva» si eviterebbe di fare ricorso a tutte quelle tecniche della medicina e della scienza che consentono di prolungare la vita di un malato incurabile, magari in condizioni di esistenza puramente vegetale.

Sulla questione, riportiamo qui a fianco due mini - interviste, una allo stesso primo firmatario della proposta di legge, l'on. Fortuna, l'altra all'arcivescovo di Ravenna mons. Ersilio Tonini.

No ai malati-cavia

Loris Fortuna, deputato Psi, ex ministro.

On. Fortuna, un'altra sua proposta di legge che già suscita polemiche...
«Finora le polemiche sono nate sui giornali cattolici. Era prevedibile. Ma affrontano il problema da un lato sbagliato. E' assurdo alimentare contrapposizioni. Si deve invece ricercare, tutti insieme, la possibilità di convergenze su un tema così grosso com'è la morte ''per'' dignità».
Sempre morte è...
«La legge non tratta dell'eutanasia attiva, ma soltanto di quella passiva. Su questa il dialogo fra credenti e non credenti deve essere apertissimo. Eutanasia passiva non significa intervenire sul processo naturale della vita. Ma è anche vero che l'uomo non deve essere mai consegnato; mani e piedi legati, a un potere fortemente medicalizzato.
Si spieghi.
«Noi non vogliamo dare nessuna morte. Supponiamo di essere innanzi a un processo irreversibile e terminale della vita di un uomo. Quando la scienza medica è arrivata ad accertare che ci troviamo a questo punto, il dilemma è se mantenere artificialmente briciole di vegetatività in questo povero essere oppure no. Non intendiamo accelerare la morte. Vorremmo evitare che l'uomo diventi un rottame in mano altrui. Non si accetta, con la proposta di legge, né la sperimentazione su una cavia umana né la mera sopravvivenza non finalizzata alla guarigione».
Lei però ci sembra più prudente che non in occasione della proposta di legge sul divorzio...
«Sono temi diversi. Là si incideva su concezioni giuridiche. Qui si va sull'uomo. Bisogna discutere molto».
Addio proverbio «finché c'è vita c'è speranza»...
«Anzi, il contrario. La legge scatta quando non c'è più la speranza».
Un caso concreto, quello del povero David. Se lei fosse il padre del ragazzo e fosse in vigore la sua legge, darebbe via libera all'eutanasia passiva?
«No. Lo ripeto: finché la scienza medica dice che c'è un briciolo di possibilità che si possano migliorare le condizioni del malato, si deve andare avanti, anche per un secolo. Per David c'è ancora speranza».
Prevede polemiche aspre, risse, crociate?
«Mi auguro di no. Su un tema del genere si deve essere profondamente problematici, onestamente laici. Nessuno deve pretendere di avere la verità in pugno». [p. fr.]

Ma la vita è sacra

Mons. Ersilio Tonini, arcivescovo di Ravenna.

Monsignor Tonini, che giudizio dà sulla proposta di legge dell'on. Fortuna?
«A una prima lettura dico che è ''sprovveduta''. La parola è grossa ma è così. Problemi così delicati non si affrontano con tanta disinvoltura, vorrei dire superficialità».
Cioè?
«Chiarisco. Mi auguro che si tratti solo di disinvoltura. Se invece fosse tutto soppesato e intenzionale il giudizio sarebbe molto grave».
Perchè?
«La proposta di legge ufficializza il ''favor iuris'' per la morte e non per la vita. Ciò è contrario a tutta la tradizione giuridica dell'umanità, in particolare a quella occidentale, dal diritto romano in poi».
Quali le critiche, in concreto?
«Innanzi tutto si crea una forte discriminazione giuridica, lesiva della Costituzione. E' a danno di chi è solo, indifeso, senza parenti. Non può opporsi in alcun modo al giudizio medico. Ciò è disumano».
Poi?
«In complesso direi l'indeterminatezza delle formule, fatte di parole dentro le quali possono nuotare tutti i concetti. Il punto su cui si gioca è il concetto dell'eutanasia passiva. Si dice che la legge autorizza questa e non quella attiva. Non è vero. Il confine fra passiva e attiva è ristrettissimo e va sempre più riducendosi quanto più progredisce la scienza. Esempio: l'intubazione per aiutare un malato a respirare è già un artificio tecnico. Il medico potrebbe sentirsene esentato. Siamo alla sconfessione del progresso.
Prevede polemiche, l'innalzamento di altri steccati nell'opinione pubblica nazionale?
«E' mia convinzione che il sentimento popolare sarà decisamente avverso a questa proposta di legge».
Questioni di coscienza?
«L'esistenza è il bene-radice di tutti gli altri e come tale va difesa. Ma qui è anche questione di diritto. In pratica i cittadini che hanno una protezione possono essere salvati. Chi non l'ha è alla mercé del libero arbitrio di altri. E' contro la Costituzione. E' disumano, lo ripeto».
Ma l'ultima parola spetterebbe comunque al medico?
«La missione del medico è di difendere la vita, non di dare disco verde alla morte. E poi la scienza, la ricerca, la tecnica da sempre lavorano per l'uomo, non contro l'uomo». [p. fr.]

Il Resto del Carlino - 11 febbraio 1985

Europa allarme atomico

"Vedemmo all'improvviso girandole enormi all'orizzonte. Non capimmo cosa fossero, e guardavamo affascinati"

Quel fuoco nel cielo di Chernobyl

Una donna sfollata dall'Ucraina racconta i giorni della catastrofe

dal nostro corrispondente ALBERTO JACOVIELLO

MOSCA — «Era la prima serata di tepore primaverile dopo un inverno rigido e interminabile. E questa fu la nostra disgrazia. Molta gente di Chernobyl indugiò fino a tardi per le strade e sui davanzali delle finestre. I bambini tiravano a lungo le cose da fare prima di andare a dormire. Non li rimproverammo perché anche loro, come noi, avvertivano il piacere d'una primavera finalmente arrivata. E l'indomani non sarebbero andati a scuola. Tutto accadde come in una favola arcana. Nel cielo, altissime, comparvero all'improvviso girandole di stelle enormi che sembravano accendersi e poi improvvisamente spegnersi cadendo come in un gigantesco fuoco d'artificio. Rimanemmo affascinati a guardare quello spettacolo insolito e bellissimo. E chiamammo i bambini perché anche loro ne godessero. Ci sembrò che qualcosa fosse accaduto nella natura o forse al confine col sovrannaturale. Non capimmo cosa fosse ma non riuscivamo a staccare gli occhi dal cielo. Poi le stelle scomparvero e rimase soltanto una scia di fumo che ogni tanto si colorava di fuoco. E allora ce ne andammo a dormire con la speranza che la sera successiva il fenomeno avesse potuto ripetersi».

Le prime voci da Pripjat

Questo è l'inizio del racconto che una donna, insegnante di filosofia a Chernobyl — diciotto chilometri dalla centrale maledetta — ha fatto ad un amico su quella notte terribile tra il venerdì 25 aprile e il sabato 26. Seguendo un suo percorso, il racconto è arrivato fino a me. Lo trascrivo perché mi sembra la prima testimonianza fin qui raccolta di come un disastro nucleare possa presentarsi con l'aspetto misterioso dell'arcano e i colori seducenti del fuoco d'artificio e in quanto tale essere vissuto da persone ignare, anzi da persone normali perché ignari, in questo campo, lo siamo tutti.

«L'indomani — così prosegue il racconto — lo spettacolo della sera prima fu l'oggetto di tutte le conversazioni. I bambini lo ricordavano ai genitori, gli amici agli amici. A nessuno venne in mente la centrale nucleare. Ognuno, in quel sabato, fece quel che doveva fare. E quando venne la sera molti degli abitanti di Chernobyl tornarono a guardare il cielo. Lo spettacolo, però, non si ripeté, salvo qualche bagliore che ogni tanto compariva all'orizzonte. E la domenica lo avevamo quasi dimenticato quando le prime voci confuse, vaghe giunsero a Chernobyl da Pripjat, il villaggio abitato prevalentemente dai tecnici addetti alla centrale nucleare e dalle loro famiglie.

«Queste voci dicevano che c'era stato un guasto al reattore ma che non era grave e si stava procedendo alla sua eliminazione. Rimanemmo relativamente tranquilli ma il ricordo dello spettacolo insolito, misterioso anche se affascinante della notte tra il venerdì e il sabato qualche inquietudine ce la procurava. Ma poiché le autorità locali tacevano, ci sembrò che effettivamente le dimensioni del dramma fossero limitate.

«Ci furono dei matrimoni quella domenica a Chernobyl. E tutto avvenne secondo il nostro costume tradizionale: orchestra che suonava musiche augurali, sposa vestita di bianco, automobili infiocchettate, parenti felici. Una domenica come le altre, insomma, allietata da un sole caldo che a pensarci adesso appariva soltanto come un po' velato da una sorta di brina che non era propriamente bianca.

«L'allarme scattò il lunedì nella prima mattinata. Vedemmo arrivare camion carichi di gente di Pripjat che verosimilmente veniva allontanata dal villaggio della centrale. Cominciammo a capire che qualcosa di grave era accaduto. Ma nemmeno allora ci inquietammo molto. Non vedevamo segni di catastrofi intorno a noi e la nostra vecchia lentezza, la nostra vecchia sonnolenza russa, il nostro radicato fatalismo ci portò a credere, anche allora, che niente di irreparabile si fosse verificato. Ma poi i bambini tornarono da scuola prima del solito e ci dissero che era stato loro raccomandato di non uscire di casa, di lavarsi i capelli, di cambiare i vestiti. Solo allora ci venne in mente che lo spettacolo del venerdì notte non era stato un fatto di natura ma una specie di sconvolgimento provocato dall'uomo e le cui conseguenze, cominciammo a capire, potevano essere molto gravi.

«Uscii di casa per andare a fare la spesa. La gente era inquieta, impaurita. Tutti ci facevamo le stesse domande: cos'era realmente accaduto nella centrale? Che ai bambini fosse stato raccomandato di lavarsi i capelli e di non uscire di casa spingeva anche noi, con gesti automatici, a toccarci i capelli con la paura di sentire sotto le dita qualcosa di insolito, di misterioso e a guardare i nostri vestiti con un timore che non avevamo mai conosciuto. Io scrutavo gli alberi per cogliere sulle loro foglie segni che dicessero qualcosa. E i fiori. Mi sembrava che alcuni fossero cosparsi di una polvere biancastra, altri mi apparvero del tutto normali. Forse era solo il frutto della mia agitazione. Ma sempre, pensai, le persone finiscono con l'autoinfluenzarsi davanti a fenomeni di cui non conoscono la natura e di cui non possono avere, dunque, memoria storica.

«A casa trovai mio marito. Agli operai della sua fabbrica, mi dis-

La centrale di Chernobyl dopo la catastrofe

se, era stato comunicato di tenersi pronti a evacuare Chernobyl con le loro famiglie? Ci guardammo sbigottiti e ci abbracciammo. Solo in quel momento chiara fu in noi la sensazione di una catastrofe. Venne in mente a entrambi che quello era il terzo esodo che vivevamo. Da bambini eravamo stati portati via da Mosca il secondo anno della guerra e ci eravamo stabiliti con i nostri genitori al di là degli Urali. Mio padre era ingegnere aeronautico, il padre di mio marito era operaio della stessa fabbrica.

Quando la tv
ci informò

Nel 1970 ci eravamo sposati e poiché la fabbrica di mio marito era stata chiusa ci eravamo trasferiti a Chernobyl, dove avevamo avuto tre figli e avevamo vissuto felicemente. Dove saremmo andati adesso? Forse da parenti che avevamo a Sverdlovsk. Ma bisognava avvertirli, chiedere loro se fossero stati disposti a ospitarci. Sverdlovsk era lontana, e il viaggio assai costoso. Avrebbe provveduto il governo? Telefonammo prima a Sverdlovsk e poi a Mosca dove avevamo degli amici. Sia i parenti che gli amici rimasero stupefatti nell'apprendere quel che era accaduto e che noi stessi non potemmo riferire che assai vagamente. Gli uni e gli altri si dissero disposti ad accoglierci.

«Fino a sera nulla accadde. Aspettammo il telegiornale "Vremja" con grande ansia. Ma solo a metà trasmissione una assai scarna notizia ci informò che un incidente s'era prodotto alla centrale nucleare senza fornire ulteriori particolari. Non riuscimmo a capire se quella notizia doveva tranquillizzarci o allarmarci. Doveva tranquillizzarci l'assenza di ogni drammaticità nella notizia Tass diffusa da "Vremja". Ma doveva allarmarci il solo fatto che la notizia fosse stata diffusa. L'indomani, martedì, tutto si mise in movimento assai presto. Vennero dei militari a chiederci se eravamo pronti a partire e dove volevamo andare. rispondemmo che avremmo preferito per il momento andare a Mosca, assai più vicina di Sverdlovsk. Poi sarebbe dipeso dalla lunghezza del periodo di assenza previsto. Su questo punto ci dissero di non sapere nulla e aggiunsero che sarebbero passati dopo tre ore a prenderci.

«Scendemmo al piano di sotto dove abitava una vecchia nostra amica, una donna sola di ottant'anni e le chiedemmo dove sarebbe andata, cos'avrebbe fatto. Ci rispose che mai e poi mai si sarebbe mossa dalla sua casa. Si sarebbe nascosta. Era sopravvissuta alla guerra quando abitava a Rostov sul Don — ci disse — avrebbe sopravvissuto anche alle radiazioni di Chernobyl. Tentiamo di convincerla ma non fu verso. Tre ore dopo, i militari ritornarono.

Ci caricarono, assieme ad altre famiglie, su un camion che prese la strada di Kiev da dove, ci dissero, avremmo preso il treno per Mosca. Lungo la strada incrociammo molti militari che tentavano di coinvolgere i contadini Kolkhosiani a partire. Ne ricevevano rifiuti. I contadini, come in ogni paese, del mondo, sempre rifiutano di staccarsi dalla loro terra, dalla loro casa, dal loro bestiame, dai loro attrezzi. Un terremoto, forse, può convincerli. O una carestia. Ma cos'era la radioattività? dove stava il suo pericolo? I militari, da quel che potevamo comprendere, agivano gentilmente, cercando di persuadere. Ma vedevamo teste che si muovevano nel senso del diniego. Facevano bene? Facevano male? Noi stessi non eravamo in grado di giudicare perché a nostra volta ignoravamo gli effetti reali delle radiazioni a così poca distanza dallo scoppio.

«A Kiev trovammo che tutto era normale tranne un traffico intenso di camion civili e militari. La stazione era molto affollata e la gente si raggruppava attorno ai treni per Mosca. Ma noi che venivamo da Chernobyl avevamo la precedenza. Partimmo così per Mosca assieme ad altra gente come noi: gente di Chernobyl e di Pripjat. Nessuno sapeva niente di preciso su quel che era veramente accaduto. facemmo ipotesi sul ritardo di due giorni nel dare la notizia. Un ingegnere di Chernobyl ci disse che Gorbaciov era stato informato solo nella notte di domenica di quel che era avvenuto nella notte tra venerdì e sabato. E che si doveva al suo intervento se «Vremja» aveva trasmesso il dispaccio «Tass» e se l'evacuazione era cominciata.

«Io stessa non so se credito dare a una notizia di questo genere. Per noi lo zar è sempre buono e quando accadono cose cattive è perché egli non lo sa: i suoi consiglieri glielo nascondono. A Mosca trovammo i nostri amici ad attenderci alla stazione. Ci chiesero notizie che noi non eravamo in grado di dare. Ma prima di raggiungere la loro casa venimmo portati all'ospedale n. 7 per un controllo. Qui apprendemmo che vi erano ricoverati feriti molto gravi. Non ce ne fu detto il numero. Ma vi era un'atmosfera di paura che quei feriti rappresentavano. Noi stessi venivamo guardati con un misto di solidarietà e di inquietudine. Passammo in ospedale due giorni. Fummo sottoposti a controlli d'ogni genere: tiroide, sangue, capelli, occhi e naturalmente vestiti. Esami accurati vennero compiuti sui nostri tre bambini. Altra gente, nel frattempo, arrivava. Potemmo così capire che il raggio del territorio evacuato doveva essere di almeno trenta, quaranta chilometri.

«La sera del martedì di nuovo "Vremja". Si parlò di due morti e di molte decine di feriti. Dovevamo crederci quando per tutta la giornata misteriosi ascoltatori di radio occidentali ci riferivano di

duemila morti? A giudicare da quel che noi stessi avevamo potuto vedere eravamo portati a dar ragione al nostro governo. Poi fummo autorizzati ad andarcene dai nostri amici con l'impegno di tornare a farci controllare entro una settimana.

I funghi
bizzarri

«È trascorso quasi un mese e siamo ancora qui. Nessuno ci ha detto se e quando potremmo tornare a Chernobyl. Mio marito è stato aiutato a trovare un lavoro provvisorio ma è evidente che tra un po' dovremo decidere: o trovare una sistemazione stabile a Mosca o andare a Sverdlovsk oppure tornare a Chernobyl. Ma di queste tre ultime soluzioni l'ultima mi sembra la più improbabile. Amici di laggiù che incontro a Mosca mi dicono che attraverso parenti rimasti nella zona immediatamente adiacente a quella evacuata vengono notati fenomeni strani e inquietanti. Un'improvvisa, ad esempio, enorme quantità di funghi di forma bizzarra che sono nati in questi giorni e che nessuno osa toccare. Un'ordinanza drastica lo vieta e viene ripetuta quasi ogni ora.

«I russi adorano i funghi e senza la ripetizione martellante dell'ordinanza la gente forse non resisterebbe alla tentazione. Altra cosa strana: gli alberi più alti sembrano come rinsecchirsi giorno dopo giorno. Altri si piegano.

«I campi di grano ingialliscono, le acque dei fiumi sembrano di un colore insolito. Non so che valore dare a questi segni misteriosi. La sola cosa che posso dire è che non riuscirò mai a collegare veramente, nel profondo della mia coscienza, l'affascinante spettacolo di quel cielo illuminato da quelle enormi stelle altissime e i funghi mostruosi che nascono in quelle terre, gli alberi che rinsecchiscono, i campi di grano precocemente ingialliti, i fiumi che cambiano colore. Questo misto di bello e di orrendo costituirà, ormai, l'inquietudine della mia vita. Purtroppo non sarà la sola. Mi dicono — e la televisione lo conferma — che c'è sciacallaggio a Chernobyl e dintorni. Non penso tanto alla mia casa quanto a gente che ha così poco cuore da rubare dove una disgrazia di tale portata ha colpito il nostro popolo. Ha fatto bene il governo, a decretare, come molti mi dicono, la pena di morte per un reato di questo genere. Non avrei mai pensato che nella nostra società socialista ci fosse gente così».

Ecco, questo è il resoconto che mi è giunto. Non ne posso garantire l'assoluta veridicità, ma chi me lo ha riferito, ricostruéndolo quasi parola per parola, è persona seria e degna di fede.

Lo strano destino dell'"homo faber"

«L'HOMO FABER» pretende sempre più energia per le sue fabbriche e i suoi frigo, divora cibi al conservante, regola con altre pillole perfino la sua riproduzione, sacrifica la logica aristotelica alla logica binaria dei calcolatori. Ma se una nuvola radioattiva appare all'orizzonte qualcosa gli scatta dentro. Capisce che di progresso si muore, dubita, accusa. Infatti la nuvola partita da Kiev può partire domani da Lione, Londra, Caorso.

L'homo faber aveva sistemato il problema del nucleare con due noti ragionamenti. Primo ragionamento. Esiste un nucleare bellico (Hiroshima) ma si tratta di un male che può perfino mutarsi in bene. Infatti, l'invenzione delle armi nucleari mette l'umanità in condizione di scegliere tra pace e annientamento, toglie il significato alla guerra quale mezzo per regolare i conflitti tra Stati, e ciò perché la violenza non può più portare alla vittoria o alla sconfitta, cioè conseguire i suoi fini. Pertanto la guerra è morta perché non è più una scelta possibile; la violenza si è scissa dalla politica stessa, che assume nuovi compiti potendo solo scegliere tra pace e annientamento. Qualsiasi politica (teoria di Schell) sarà in futuro solo politica di pace.

Secondo ragionamento. Esiste poi il problema del nucleare pacifico. Esso non fabbrica bombe, non alimenta l'equilibrio del terrore, è puramente utilitario, procura energia, fa funzionare l'industria, annulla i sottosviluppi, fornisce ricchezza, incrementa i prodotti nazionali lordi, ma purtroppo è legato al rischio di gravi catastrofi, può generare vampe atroci, basta una fuga radioattiva per avere una «pacifica» Hiroshima. Che fare di questo nucleare? Risposta: vediamo, discutiamo, studiamo i «modi di impiego» come si fa con i veleni, e intanto costruiamo centrali a piccole dosi; controlliamo, sorvegliamo, studiamo sistemi di allarme; un giorno o l'altro i «verdi» si calmeranno, capiranno che il costo del progresso è meno alto del previsto.

Mentre il primo ragionamento funziona ancora, il secondo cessa di funzionare appena accadono incidenti come quello di Chernobyl. D'accordo sui piani di sicurezza, benissimo le misure adottate, credibili le garanzie fornite dai tecnici. Ma siamo proprio sicuri che i «verdi» hanno torto? Non sono queste nuvole radioattive, fornite a piccole dosi, il segnale di un suicidio collettivo incombente, magari contrabbandato attraverso l'elogio delle «magnifiche sorti e progressive»? Non sarà per caso il «nucleare pacifico» a fornirci quell'auto distruzione della specie che non ci viene dal «nucleare bellico» diventato equilibrio del terrore e risorsa di pace? Sono domande che serpeggiano nell'inconscio collettivo, ed è difficile soffocarle definendole irrazionali. Difficile farle tacere spiegandole con la «teoria del feticcio», del nucleare come giustificazione di millenaristiche paure. Nessuno può dimostrare che dopo Kiev non ci saranno altre Kiev, stavolta più catastrofiche.

La chiave vera del problema è che l'homo faber dimentica facilmente quante cose l'hanno messo in crisi lungo il suo cammino. Basta ricordare quali disastri s'è fabbricato con le sue stesse mani, e proprio con le varie rivoluzioni industriali, per capire che la catastrofe fa parte della sua storia. Perfino la prima rivoluzione, quella medioevale, che gli portò l'energia idraulica, il salto demografico, i mulini siderurgici, la costruzione delle cattedrali, i forni per le fusioni, le prime dighe, le grandi tintorie, venne pagata con immense distruzioni ecologiche. Solo recentemente i medievalisti hanno tracciato il bilancio di questo primo «balzo in avanti». Per ottenere cinquanta chili di ferro l'homo faber bruciava venticinque metri cubi di bosco. Per produrre carbone di legna ogni quaranta giorni una carboniera distruggeva un chilometro quadrato di foresta. L'invenzione della sega ad acqua permise la nascita delle cattedrali parigine ma costò il taglio dell'immensa foresta di Rambouillet. Il castello di Windsor fu costruito abbattendo quattromila querce, cioè tutto il Combe Park, mentre la foresta di Wellington sparì letteralmente per alimentare i forni metallurgici. Quando cominciò l'estrazione del carbone minerale la polluzione giunse al massimo. I morti per soffocazione non si contarono. La regina Eleonora d'Inghilterra fuggì di notte dal castello di Nottingham per non asfissiare. L'acqua potabile si fece sempre più rara. Fallirono centinaia di fabbricanti di birra perchè privati d'acqua pura. Un editto del 1200 proibì ai tintori l'uso della Senna diventata «un fiume di veleno».

La seconda industrializzazione, dopo il Settecento, è costata all'homo faber molto di più. Gli storici del capitalismo, di destra e sinistra, hanno già scritto il lunghissimo elenco dei «costi da crescita» sopportati dall'umanità, le miniere diventate campi di concentramento, i milioni di morti delle guerre nazionali legate alla conquista dei mercati, le guerre coloniali. Ma l'elenco si allunga con la terza industrializzazione, con le sue guerre mondiali a sfondo economico, i campi di sterminio, il costo delle rivoluzioni. Ponendo che sia vero lo stalinismo come «scorciatoia industriale», resta pur sempre una scorciatoia tragica. Ponendo che sia vero il maoismo come scorciatoia del decollo asiatico, la tragedia non è minore. Ma è inutile insistere sopra un tema noto. Studiosi come Peter Berger hanno ormai calcolato il costo in milioni di vittime sia del mito della crescita sia del mito della rivoluzione. La conclusione è che ogni epoca ha vissuto il suo olocausto.

Sollevare il problema della nuvola di Kiev significa allora chiedersi se l'homo faber cambierà. Ma la cosa è dubbia, e vi sono molte ragioni per escluderlo. Ancora ieri, ha accettato Vajont, Frejus, altre catastrofi, per avere un po' di energia elettrica derivata dalle dighe. Per andare in weekend accetta ogni settimana stragi automobilistiche crescenti, accompagnate da migliaia d'infarti da supernutrizione. Per uscire dal sottosviluppo ha già dimenticato il disastro indiano dell'Union Carbide. Per avere piani energetici sempre più brillanti accetterà certo altre nuvole, il rischio di una Hiroshima a rate, vagante, che magari si scarica sul prato del vicino.

Per lui sembra valere infatti la metafora della piramide di Cholula, dove ogni anno si massacravano migliaia di aztechi in base al principio implacabile che l'universo poteva andare in frantumi se gli dèi non fossero stati regolarmente nutriti di sangue umano. Sono variate adesso le «piramidi del sacrificio», hanno altri nomi gli dèi, sono chiamati crescita, sviluppo, progresso, magari pace, ed è difficile che l'homo faber possa cambiare. Non sarebbe più Sisifo, come diceva Camus, legato al masso del suo destino tragico. E purtroppo sappiamo che Sisifo ancora gli somiglia.

ALBERTO CAVALLARI

la Repubblica - 4/5 maggio 1986

□ la Repubblica
domenica 4/lunedì 5 maggio 1986

*Le conseguenze della ricaduta di elementi radioattivi
sulla vegetazione, sugli animali e sugli esseri umani
Dal cancro alle leucemie alle mutazioni genetiche*

Identikit del veleno nucleare

Un nemico invisibile che uccide le cellule

di FRANCO PRATTICO

ROMA — Invisibile, insidioso, perfidamente pervasivo: è forse il nemico più subdolo che l'uomo sia costretto ad affrontare. L'Italia si trova per la prima volta "ufficialmente" davanti ai rischi e alle incognite della ricaduta radioattiva, una prospettiva che sembrava relegata agli scenari di guerre atomiche giocate a tavolino, o ai ricordi di Hiroshima. Le proporzioni sono ovviamente diverse, per fortuna, e anche se le informazioni che giungono dai centri periferici di rilevamento sono sottoposte ad una specie di black out (possono venire diramate solo dalle autorità centrali; il che lascia pensare a una scelta di "filtraggio" informativo), non sembra che il pulviscolo radioattivo raggiunga soglie eccessivamente elevate.

Non è insomma il fall out dell'esplosione atomica: ma ciò non significa, in realtà, che non ci sia pericolo. I nuclidi radioattivi che in questi giorni sono piovuti sulle nostre teste hanno innalzato in alcune zone per qualche giorno il fondo naturale di radioattività: e questo significa che nell'ambiente circola una maggiore quantità di elementi potenzialmente pericolosi.

Aumenta, in pratica, il tasso complessivo di radioattività dell'ambiente: nella crosta terrestre sono imprigionate sostanze radioattive, che contribuiscono in una certa misura al calore del pianeta. La radioattività naturale della crosta terrestre è stata aumentata in questi decenni dalle ricadute delle esplosioni nucleari sperimentali e dal fall out industriale. Effetti come quelli della nube di Chernobyl si sommano quindi a un tasso che, se non è considerato "pericoloso", non è però privo di effetti. "Tutte le radiazioni causano danno biologico e in particolare mutazioni genetiche — scrivono in un loro testo due fisici americani, Desmond Burns e Simon MacDonald — La percentuale di mutazioni dovute a sorgenti naturali è già molto alta, dato che già oggi provoca vistose anormalità in circa il tre per cento delle nascite. Ogni aumento della dose sulla popolazione si traduce in un aumento di mutazioni e il più evidente risultato possibile consiste in un aumento delle malformazioni neurologiche".

Le radiazioni infatti agiscono a livello delle cellule: colpendo ad alti livelli energetici le molecole della cellula, ne spezzano i legami chimici e in pratica la distruggono. Quando ad essere colpito è il materiale nucleico (il Dna), la catena che contiene l'informazione cellulare viene spezzata. Degli enzimi accorrono sul posto, per riparare il danno: una operazione che non sempre riesce. E quanto più aumenta il numero delle riparazioni, tanto più aumenta la probabilità di mutazioni. Perciò è difficile parlare, in questi casi, di "soglia di sicurezza".

In pratica, però, gli effetti dipendono dalla concomitanza di tre fattori: dalla concentrazione di particelle radioattive, dai loro tempi di dimezzamento (quanto più breve la vita di un radioelemento, tanto minore il pericolo), dal loro contenuto energetico. Nel caso della nube di Chernobyl, l'elemento più diffuso sembrerebbe essere lo iodio 131, che ha un tempo di dimezzamento molto breve, valutabile in otto giorni. Vale a dire che nel giro di otto giorni lo iodio ha perduto metà della sua carica energetica; dopo altri otto giorni, un'altra metà, e così via. Altri elementi presenti nella nube sono il cesio (nei due isotopi 134 e 137, a durata molto maggiore, ma in

quantità al suolo abbastanza modeste), il tellurio, il rubidio, ma stando ai dati forniti dalle autorità i loro livelli di concentrazione a un metro dal suolo sono in via di rapida diminuzione. Diversa la situazione quando queste sostanze si accumulano nel terreno, vengono raccolte dall'acqua piovana o dalle radici delle piante. Gli elementi concentrati sul terreno possono infatti entrare attraverso le radici nella composizione stessa dei vegetali. Inizia allora un tragitto che può portarle direttamente a contatto con organi umani.

Ma seguiamo nel loro cammino questi invisibili nemici. Gli organi maggiormente in pericolo sono la pelle, la tiroide, i reni, i polmoni e gli organi genitali. Le sostanze radioattive possono agire sulla pelle direttamente per contatto. Se si tratta di radiazioni "beta", emesse da quasi tutti i prodotti di fissione nucleare, il contatto esterno può provocare piccole ustioni, lacerazioni, ulcere: ma la radiazione ha una portata di pochi millimetri, non penetra oltre gli strati superficiali della pelle. I tessuti organici, invece, sono trasparenti ai raggi gamma, praticamente identici ai raggi X ed estremamente penetranti. L'assorbimento di un "quanto" di radiazione può quindi distruggere completamente una cellula.

Le particelle radioattive possono giungere a contatto con noi in diversi modi. Se vengono inalate, raggiungono direttamente i polmoni o si depositano nella tiroide, specie se si tratta di iodio radioattivo. Le particelle fissate dalle erbe o dalle radici, entrano nella catena alimentare del bestiame o direttamente dell'uomo. Una volta ingerite, possono raggiungere diversi punti dell'organismo e lì concentrarsi. Per questo è impossibile predire con sicurezza cosa accadrà.

cronaca cronaca

☐ la Repubblica
sabato 14 settembre 1985

Una illustrazione dell'Ottocento che raffigura un sollevatore di pesi che si esibisce sostenendo con un braccio un nano

Eurodeputata italiana chiede che sia vietato
Il reclutamento per 30 sterline al giorno

Ora c'è un nuovo sport è il "lancio del nano" Campionati in Australia

ROMA *(d. p.)* — L'ultima moda in fatto di sport sembrerebbe questa: ci si procura un nano, gli si mette in testa un casco da ciclista, poi lo si afferra per le ascelle e lo si lancia il più lo strano possibile. Il contendente che riesce a proiettare il proprio nano alla maggiore distanza ha vinto. Naturalmente bisogna avere a disposizione un certo numero di nani, perché qualcuno si rompe. I nani più fortunati sono quelli che riescono ad atterrare senza danno sui materassi disposti ad una decina di metri di distanza dal punto del lancio. Agli altri, la ricaduta può provocare, come è stato documentato, contusioni, fratture e anche lo schiacciamento del midollo spinale. Ma non importa perché, secondo gli organizzatori di questo sport, i nani si divertono molto, tanto è vero che quando vengono lanciati in aria sorridono.

Il «lancio del nano» non è, come si potrebbe supporre, un gioco clandestino dei sordidi bassifondi descritti da Dickens nei suoi romanzi: in ottobre si terranno i campionati mondiali in Australia vi parteciperanno una squadra inglese e una australiana, ognuna con 4 «nani da lancio»; e personaggi dello «show-biz» stanno percorrendo l'Europa in cerca di nani da arruolare, con una paga di 30 sterline al giorno.

Queste notizie sono state raccolte dal deputato europeo Vera Squarcialupi, eletta come indipendente nelle liste del Pci, che ha presentato al Parlamento di Strasburgo una risoluzione in cui si chiede la ferma condanna di questo «sport».

«La prima volta che ho sentito parlare del lancio del nano è stato in Inghilterra, da una radio inglese che intervistava un certo Danny Bamford, reclutatore dei nani, e non credevo alle mie orecchie», spiega l'eurodeputata. «Questo Bamford era già stato in Finlandia, in Canada, nella Repubblica federale tedesca e nelle basi militari Usa in Europa per condurre la sua campagna acquisti e dare spettacoli».

Il regolamento di questo singolare sport non parla esplicitamente di nani, prescrive però che venga lanciata «il più in alto possibile una persona di dimensioni ridotte, ma adulta, da parte di un uomo robusto e di notevoli dimensioni».

Della risoluzione della deputata italiana si sta occupando ora la Commissione dei diritti dell'uomo di Strasburgo, presieduta da Simone Weil; anche l'associazione inglese di ricerca sul nanismo ha fatto dei passi presso l'Ambasciata australiana affinché bandisca il «lancio del nano» dal suo territorio.

Oristano, migliorano le condizioni del giovane

Il nudista aggredito tace teme di perdere il lavoro

di PIER GIORGIO PINNA

ORISTANO — In poche ore sono nettamente migliorate le condizioni del naturista aggredito su una spiaggia della Sardegna perché prendeva il sole nudo. L'intervento dei medici si è rivelato efficace.

Paolo Lampis, 29 anni, protagonista-vittima di questa assurda storia di intolleranza, ha potuto scambiare qualche parola con i familiari e gli amici. Ma ad un giornalista che è riuscito ad avvicinarlo non ha voluto rivelare i particolari della vicenda. Il giovane si è perfino rifiutato di confermare se, al momento del pestaggio, stesse davvero prendendo la tintarella integrale. E' turbato dal clamore suscitato dall'accaduto, avrebbe preferito che il suo nome non fosse reso noto, teme di perdere il posto di lavoro. E' infatti impiegato in una centrale elettrica di Portovesme, sulla costa sud-occidentale dell'isola. In ogni caso però non potrà rientrare in ufficio prima di qualche mese. Le gravi lesioni subite richiedono un lungo periodo di riposo.

Proseguono intanto le indagini dei carabinieri per risalire ai responsabili di questo sconcertante episodio di violenza.

Gli investigatori ieri hanno ascoltato il racconto del giovane, ma sull'interrogatorio non sono trapelate indiscrezioni. Molti interrogativi restano così ancora aperti. Forse potranno trovare una risposta soltanto dai controlli e dagli accertamenti che i militari svolgono in queste ore. Intanto su tutta la vicenda, c'è un'inspiegabile cortina di riserbo. Nessuno vuole rilasciare dichiarazioni ufficiali sull'aggressione. I carabinieri si limitano a spiegare che stanno ancora verificando indizi e circostanze. Niente di più. Riuscire a capire che cosa sia accaduto con esattezza, al di là della prima versione fornita dal giovane ai medici che l'hanno curato, è estremamente difficile.

Alla ricostruzione dell'aggressione si è però aggiunto qualche particolare. A colpire Paolo Lampis sarebbe stato soltanto un bagnante, e non tre come si era pensato in un primo tempo. Gli altri si sarebbero limitati a osservare la «punizione» inflitta al naturista, reo di essersi levato il costume da bagno.

Il giovane ha naturalmente indicato il punto esatto della spiaggia di s'Archittu nel quale è stato selvaggiamente percosso. E così gli inquirenti stanno adesso tentando di identificare qualcuno che, domenica pomeriggio, si trovasse vicino al luogo del pestaggio. Sembra infatti molto strano che nessuno si sia reso conto di nulla.

La notizia dell'aggressione non ha ovviamente mancato di suscitare reazioni. Il naturismo è praticato in molte zone della Sardegna. Proprio sul litorale di s'Archittu, tra Oristano e Bosa Marina, sono parecchi i bagnanti che prendono normalmente il sole senza niente addosso. Le famiglie della zona, in genere, frequentano altre spiagge. In passato non erano mai accaduti episodi di intolleranza come questo. E qui, appunto, lo stupore per l'incredibile pestaggio al quale è stato sottoposto l'impiegato.

Paolo Lampis si trova sempre ricoverato. Dal momento in cui è stato accompagnato all'ospedale di San Gavino, non lontano da Oristano, è costantemente assistito dai sanitari. Si deve proprio all'opera dei medici (sono stati costretti ad asportargli il rene destro, spappolato dalle bastonate infertegli con l'asta di un ombrellone) se il paziente si è potuto riprendere con tanta rapidità. Nel corso dell'intervento chirurgico gli sono stati applicati diversi punti di sutura al fegato. Il quadro clinico complessivo appare molto favorevole e, con tutta probabilità, non sarà necessario sottoporre il ferito a una seconda operazione.

la Repubblica - 22 agosto 1985

CRONACHE ITALIANE

I giudici di Roma hanno deciso di affidare Gabriele a un istituto religioso

Tolto ai genitori il bimbo in gabbia

Choc in Tribunale davanti alla prigione del piccolo sordomuto

Il padre e la madre condannati a 3 anni e 8 mesi di carcere - Bello, vispo, occhi azzurri intelligenti, il piccino è comparso in udienza - Ha tenuto la testa voltata verso la folla, cercando la nonna che singhiozzava e le ha teso la mano balbettando qualcosa

ROMA — Una gabbia? Un lettino «protetto»? E allora portiamola in aula questa «struttura», decide il presidente del Tribunale. Arriva con un carro attrezzi e quattro carabinieri la depongono davanti ai giudici, a beneficio di tutti. Eccola.

E' proprio una gabbia, non ci sono dubbi, con sbarre di legno, lunga e alta un metro e mezzo, larga 70 centimetri, e poi le catenelle con i lucchetti per fissare la parte mobile che serve da uscita, la rete metallica in alto. Dentro un materassino, coperte, un cuscinone. Per molti giorni della sua vita Gabriele Serpi, 4 anni e mezzo, sordomuto, c'è rimasto rinchiuso. Ce l'ha tenuto sua madre perché era «troppo vivacc», «scappava sempre», «si poteva far male».

Così ha detto al processo. Insomma una specie di animaletto da tenere sotto chiave. E allora vediamolo questo animaletto. Quando arriva in aula, tenuto per mano da una suora, qualcuno abbassa la testa e si commuove. Bello, vispo, occhi azzurri intelligenti, capelli biondi. E' davanti ai giudici ma tiene la testa voltata verso la folla. Cerca sua nonna che singhiozza tra il pubblico. Le tende la mano, balbetta qualcosa.

Basta. E' tutto chiaro per il Tribunale. La camera di consiglio dura un quarto d'ora. Il tempo di scrivere la sentenza. Questa: tre anni e otto mesi per entrambi i genitori, sospensione per sette anni della patria potestà. Gabriele sta meglio con le suore. Lo faranno giocare, ridere come gli piace fare. Sì anche correre, e magari farsi male.

E' una storia terribile quella che la «realtà processuale» ha presentato ieri a tutti. Ne hanno parlato solo i codici, i referti, i rapporti, le testimonianze, e poi gli occhietti vispi di Gabriele e quel sinistro attrezzo portato in aula. Ciò che sta

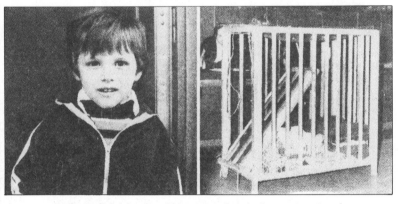

Il piccolo Gabriele e la gabbia, portata in aula da un carro attrezzi

dietro questa vicenda è fatto di ignoranza, emarginazione, miseria, malattia, di assistenza sociale solo a parole. Una storia che forse poteva essere modificata e «guarita» molto prima e che magari davanti a dei giudici non doveva mai arrivare. Perché? Perché chi ha rinchiuso Gabriele nella gabbia non era in grado di valutare tutto il male che stava facendo al bambino.

Vediamo anche questi genitori, chi sono, come vivono. Gervasio Serpi, 55 anni, vedovo con cinque figli, due infarti, asfaltista disoccupato. Cinque anni fa va a vivere con Annunziata Marazza, 27 anni sulla carta d'identità, ma di età indefinibile. Grassa e malandata, è in cura presso un centro di igiene mentale. Ha figli a ripetizione che le vengono regolarmente tolti dal Tribunale dei minori e dati in affidamento.

Non può badare a loro. Un'assistente sociale del Comune vigila su questo menage e vede più volte la gabbietta ma non la ritiene sconvolgente (su di lei indagherà la Procura). Gabriele qualche volta, dal suo lettino, riesce a saltare giù, va alla finestra, la apre e siccome

la casa è al piano terra, due stanzette all'estrema periferia di Roma, si lancia spesso sulla strada provinciale.

Dieci giorni fa, un amico di famiglia vede dalla strada Annunziata Serpi affacciata alla finestra e, dietro, la gabbietta con dentro Gabriele. In paese lo sanno tutti da tempo perché la donna non ne fa mistero. «Quando faccio le faccende domestiche — dice alle vicine di casa e ai negozianti — lo chiudo lì, così sono tranquilla». L'amico di famiglia invece va dai carabinieri, denuncia il fatto.

Ieri al processo per direttissima, l'amico è stato forse l'unico testimone d'accusa. Gli altri hanno detto di quella gabbia ma hanno parlato di tanto affetto dei genitori per il piccolo Gabriele. Un affetto manifestato a modo loro, ma che spingeva la mamma a portare il piccolo sempre con sé quando era fuori, a comprargli le caramelle, gelati, giocattoli.

Gervasio Serpi, interrogato dai giudici, ha candidamente ammesso di aver ideato la gabbietta costruita poi per 100 mila lire da un falegname: «Con tutte quelle macchine che passano sulla provinciale — ha

detto ai giudici — prima o poi me l'avrebbero ammazzato».

Ma, per i codici, il comportamento dei due genitori ha «concretizzato» il reato di sequestro di persona e di maltrattamenti. La burocrazia giudiziaria ha imposto alla sentenza di condanna altri dettagli che forse i due imputati non capiranno mai, come l'interdizione per cinque anni dai pubblici uffici.

Infine: la gabbietta sarà distrutta. Questo sicuramente Gervasio e Annunziata lo capiranno. Se qualcuno glielo avesse detto prima, forse l'avrebbero fatta a pezzi con le loro mani.

Paolo Menghini

Corriere della sera - 8 maggio 1985

Il piccolo Gabriele, quattro anni, sordomuto, è arrivato in Tribunale accompagnato da una suora

In aula non ha guardato i genitori

Foto Nuova Cronaca

L'aula della nona sezione penale del Tribunale è rimasta avvolta per alcuni istanti da un improvviso silenzio. Poi è entrato, condotto per mano da una suora, il piccolo Gabriele Serpi, il bambino sordomuto, di 4 anni e mezzo, che i genitori tenevano segregato in gabbia quando non potevano badare a lui. Niente flash, su esplicita richiesta del presidente, né troppe domande. Il piccino, dall'aria un po' smarrita, ha salutato i giudici, ha riconosciuto la zia tra il pubblico che affollava l'aula e subito ha lasciato il Tribunale, diretto all'istituto scolastico di Monterotondo, dove si trova provvisoriamente affidato alle cure di religiose.

Il piccino ha fatto la sua comparsa dopo fiumi di parole versati sul suo conto, da una parte e dall'altra. Ed eccolo lì, con la sua tutina blu, un viso tutt'altro che paffuto, quasi precocemente adulto, lo sguardo vivace, attento. Non può parlare. Però si esprime egualmente, con caparbietà. C'è un lampo di gioia negli occhi quando riconosce la sorella del padre. La indica tra la folla, la saluta come può, articolando delle sillabe. Non uno sguardo nella direzione dei genitori. Forse non li ha visti, oppure preferisce cancellare tutte le immagini del passato. Un passato difficile da riportare a galla, anche in quell'aula di tribunale. Gli affetti, l'apprensione dei genitori per il loro bambino menomato vengono a galla a più riprese, attraverso le testimonianze. Ma quelle immagini, che sembrano nitide e luminose, si spengono all'improvviso quando entra nell'aula, portata a fatica da tre uomini, quella gabbia stretta ed alta, coperta da una rete metallica, dove Gabriele ha trascorso una quantità di tempo che nessuno potrà mai determinare.

È una «prigione», costruita da un falegname con liste di legno. Di fronte a quella casa si può provare maggiore o minor indignazione a seconda che sia stata utilizzata soltanto dieci minuti o due ore? C'è un principio in gioco. Ed è quello del rispetto dovuto alla persona del bambino che, per quanto vivace, non può essere assoggettato a simili misure di contenzione.

Ma lo capivano quei due genitori? Certe volte l'affetto è guidato dall'istinto più che dal discernimento. È il caso di questa povera coppia di conviventi, perseguitata dalle disgrazie e ottenebrata dall'ignoranza. Amavano il loro bambino, lo proteggevano senza curarsi o senza rendersi conto del male che potevano arrecargli. Non c'è da meravigliarsi. Succede nelle storie di miseria come questa. Del resto non se ne meravigliavano neppure le assistenti sociali che hanno seguito Gabriele, si può dire, sin quasi dalla nascita e che erano da tempo al corrente dell'esistenza di quella gabbia.

«Di casi come questo, ma anche di ben peggiori, ce ne capitano di continuo — confessa una di loro —. Ma che possiamo fare senza personale, né mezzi?».

Una storia di miseria, ma anche di impotenza della società. Il giudice Infelisi, a tale proposito, ha chiesto che il verbale delle testimonianze dell'assistente sociale sia messa a disposizione dell'ufficio del pubblico ministero.

G. Ben

Il Tempo - 8 maggio 1985

"Zoo e circhi vanno aboliti cercate l'avventura altrove"

Battaglia per difendere gli animali

di ANTONIO CIANCIULLO

ROMA — Due articoli stringati, una proposta secca come una sfida. Così, con il disegno di legge presentato dal deputato radicale Gianluigi Melega, il caso zoo ha fatto il suo ingresso in Parlamento. Ieri la commissione Agricoltura della Camera ha discusso le sei righe con le quali si chiede l'abolizione di tutti i «giardini della follia» nelle città con più di trecentomila abitanti.

Per Melega non ci sono dubbi: l'amore per la zoologia e il fascino per l'esotico trovano oggi nei viaggi e nei documentari cinematografici una possibilità di espressione molto più efficace di quella offerta dagli spelacchiati esemplari incarcerati in mezzo al cemento. Questi «campi di prigionia e di sterminio», si legge nella proposta di legge, sono inoltre una fonte di disagio per i cittadini costretti a un bombardamento di odori sgradevoli a causa delle cattive condizioni igieniche in cui gli animali vengono lasciati sopravvivere.

Una posizione che ha fatto saltare sulla sedia il responsabile dell'Unione italiana dei giardini zoologici il quale non ha fatto risparmio di carta per documentare le benemerenze degli zoo: tutelano le specie in estinzione, costituiscono un prezioso laboratorio di studi naturalistici, offrono un campionario di «indicatori biologici» prezioso in un mondo sempre più inquinato.

Ma molte delle persone interpellate dalla Camera hanno adottato posizioni critiche. «Tutti i giardini zoologici esistenti richiedono profonde trasformazioni e quasi tutti, a cominciare da quelli di Milano e Torino, per svolgere una funzione di effettiva utilità scientifica e culturale devono essere trasferiti fuori dal centro urbano in spazi meno angusti», ha dichiarato il ministro per l'Ecologia Valerio Zanone annunciando una serie di proposte per la protezione degli animali selvatici in cattività.

La battaglia a difesa dei dieci milioni di animali che in tutto il mondo vivono in gabbia non si ferma comunque al capitolo zoo. Si parla anche della soppressione degli zoo-safari, succedanei dell'avventura dove l'emozione si compra a buon prezzo tra leoni che si aggirano in mezzo agli olivi e scimmie che si arrampicano sui lecci.

E ieri la Lega per l'abolizione della caccia (Lac) e la Lega antivisezione (Lav) hanno allargato il fronte ai circhi. «Abbiamo cominciato con una diffida al sindaco di Roma per i manifesti pubblicitari dei circhi che imbrattano la città, ma le denunce fioccheranno tra poco a Firenze e a Milano», assicura Annamaria Procacci, responsabile della Lac. «Questi baracconi sono pericolosi per gli animali, maltrattati al limite delle sevizie, e per gli uomini, come il caso Primavalle ha dimostrato».

Per la fuga di tre tigri e un leone dal circo Ariz, nel quartiere romano di Primavalle, alla Lac parlano di «eccezionale dispiegamento di inefficienza»: solo Sultan, una delle tigri, è riuscita a sopravvivere perché è stato possibile trovare solo una delle siringhe con anestetico che dovrebbero essere sempre pronte in caso di incidente.

Di fronte alle proteste dell'Ente nazionale circhi, che ha liquidato le polemiche accennando a «eventuali abusi isolati che non possono deturpare l'immagine di

Tre tigri dietro le sbarre in un giardino zoologico

un grande spettacolo», gli abolizionisti tirano fuori le dichiarazioni di un domatore pentito, Egamr Osterberg: un lungo elenco di «sorrisi» di cavalli ottenuti a colpi di spillo sul muso, leopardi incatenati e pungolati con un forcone per ore, tigri bastonate fino ad esaurimento e ganci infilati nelle parti molli degli elefanti.

Sotto accusa sono soprattutto i piccoli circhi, che hanno meno capitali e spesso si «arrangiano» come possono. Sono loro a far salire la media delle bestie morte nelle gabbie per assideramento o stroncate dagli allenamenti per farle ballare come Carla Fracci.

□ la Repubblica
venerdì 13 dicembre 1985

132

Rispetto un lupo quindi sono eretico

di ANTONIO CEDERNA

SE la proposta di legge Melega passa, il nostro paese si libererà da una delle sue non minori vergogne. Che i giardini zoologici italiani siano i peggiori del mondo lo si sa da sempre: privi dei minimi standard di vivibilità, animali ammucchiati in poco spazio, gabbie anguste, ricoveri fatiscenti, carenza di norme igieniche elementari, nutrimento innaturale (animali che si lasciano morire, che impazziscono, che si automutilano, che si sbranano, eccetera), assenza delle strutture indispensabili per ambulatorio, acclimatamento, ricerca scientifica. Sono autentici giardini dei supplizi: «indifendibili — dice l'etologo Danilo Mainardi — contrari a ogni misura di decenza, di umanità, di utilità didattica».

Sono. serragli diseducativi e immorali. Nulla insegnano sulla vita degli animali che, strappati al loro ambiente, sono condannati a un comportamento coatto e distorto. Ci presentano un universo concentrazionario, frutto dell'anacronistica, stolida potestà dell'uomo sulle altre creature, e lo spettacolo che ci offrono è indegno: la sofferenza, l'umiliazione, la degradazione di esseri viventi ridotti a grottesche caricature di se stessi. E speriamo che altre proposte di legge mettano fine a quelle altre vergogne che sono gli zoo-safari e i circhi equestri, vera scuola di raffinate torture per il divertimento della gente, e che alimentano un sordido commercio in barba alle convenzioni internazionali.

E dire che santo protettore dell'Italia e «patrono dell'ecologia» è San Francesco: l'uomo che ha cantato la fratellanza con ogni forma di vita, che parlava coi lupi e predicava agli uccelli da preda, a corvi sparvieri gazze razzolanti nei cimiteri; che ha detronizzato l'uomo da quella monarchia assoluta sulla natura in cui l'aveva posto la tradizione giudaico-cristiana. Un santo immeritato che è passato come una meteora nella nostra cultura, tutta basata sull'uomo sfruttatore e padrone rapinoso della natura e delle sue risorse. Abbiamo perfino avuto un papa, Pio XII, che ha benedetto i tiratori al piccione e, prima, Pio IX che rifiutava di avere a che fare con la società per la protezione degli animali perché, come ricorda Bertrand Russell, «considerava eretico credere che l'uomo avesse dei doveri verso le bestie».

E non a caso abbiamo il più grande esercito di cacciatori d'Europa, e sfoghiamo a bastonate il nostro sadismo contro gli animali domestici.

I nostri giardini zoologici non sono che un'espressione di un'inveterata avversione per l'ambiente che ci circonda: in virtù della quale abbiamo messo tutto in gabbia. In gabbia il mare, accessibile solo passando tra le intercapedini delle seconde case; in gabbia i monumenti dell'antichità, strappati al loro contesto storico e incapsulati dal cemento della speculazione; in gabbia il territorio, avvolto com'è ormai da una fittissima rete di costruzioni, strade, autostrade, recinzioni. Gli animali vanno visti, osservati e studiati liberi nella natura: per questo occorre moltiplicare i rifugi faunistici, le oasi di protezione, le riserve, i parchi.

la Repubblica - 13 dicembre 1985

In difesa degli animali

Leggendo un recente articolo di Fulco Pratesi sul «Corriere» mi sono detta che è da parecchio tempo che vorrei prendere in mano la penna per ringraziarlo, per tutto quanto sta facendo e dicendo per rendere la vita degli animali, già di per sé difficile e breve, tenendo conto delle loro necessità e non, come avviene, soltanto delle nostre. Non ho, personalmente, figli, ma ho già da parecchio tempo dei nipoti, e l'ultimo posto dove li accompagnerei è, senza dubbio lo zoo o il circo. Mi chiedo cosa abbia da imparare un bambino nel vedere in quale stato siano ridotti a vivere (ma è poi vita quella?) quei poveri animali dietro le sbarre, alla mercé di quei visitatori venuti a vedere la desolazione di quelle gabbie, la sporcizia nella quale sono obbligati a stare, la tristezza e la disperazione che anche un passante distratto o semi-cieco potrebbe (se volesse!) leggere in quegli occhi di scimmia, di antilope, di lupo o di pinguino. Bella roba, certo edificante come esempio per un bambino! Questione di coscienza... Mi domando, a volte, cosa passi nelle loro teste; si sognerà mai il leone o la tigre, di alberi, di foreste, di orizzonti infiniti dove poter correre? Di un posto più giusto? O il gabbiano e l'aquila reali si chiederanno se con le loro ali adatte ad altezze incontaminate (per fortuna) dall'uomo, sanno ancora volare, sentire la direzione del vento, sfruttare le correnti per andare più forte, avere insomma qualcosa da imparare, da vincere, e poi la soddisfazione di riuscire da soli e poi, in seguito con gli altri, in gruppo? Ci penseranno mai, oppure a loro non è dato di pensare? Non possono avere pensieri, desideri, aspirazioni? Suggerisco di chiedere (anche se in ritardo) la risposta a quei due leoni e a quella tigre che sono fuggiti dal circo dove stavano, via almeno per un po', meglio vivere un giorno «da leoni» che cento o mille «da pecore». Motivi di spazio (terribile quando si parla di vita) e di rabbia mi invitano a non toccare l'argomento di quegli animali cosiddetti «da pelliccia», poiché sarebbe impossibile parlarne soltanto superficialmente ora.

Nicoletta Vaccargiu
(Morbio Inferiore
TI - Svizzera)

Corriere della Sera - 2 gennaio 1986

a parer mio

di BENIAMINO PLACIDO

MERCOLEDI' 12 febbraio la Televisione di Stato ha posto due problemi che mi hanno dato da pensare per il resto della settimana. E che qui ordinatamente descrivo:

1) SE SI POSSANO FARE I FIGLI IN PROVETTA. Ottimo inizio di «Delta», nuova serie. «Delta» (RaiTre) è una rubrica di scienza e medicina a cura di Anna Amendola e Annalisa Merlino (consulenza di Vincenzo Menichella). Questa nuova miniserie vuole affrontare problemi particolarmente controversi. Come in questa prima puntata «Bambini in provetta Sì/No» curata da Giulietta Ascoli e Vincenzo Verdecchi (regista).

Quante cose non sappiamo, che pure pensiamo di sapere. Su quante cose pensiamo di avere le idee chiare; e le abbiamo invece vaghe e confuse. Se qualcuno ci fermasse per strada, con un microfono in mano, per chiederci cosa pensiamo dei figli in provetta, risponderemmo: sì, no, forse, mi pare; come rispondevano i cittadini interpellati per questa trasmissione.

E invece esistono almeno tre modi — diversi nelle modalità e nelle conseguenze etico-religiose — per avere dei figli artificialmente.

C'è la «donazione di ovulo». Si prende da una donna feconda un uovo, e lo si immette in una donna sterile, che ne farà un bambino. E' accaduto — questo scambio — fra due sorelle, che abbiamo sentito parlare serenamente in trasmissione.

C'è la «fecondazione in vitro». Si prende quello che occorre dall'uomo, si preleva quello che occorre dalla donna e si fabbrica «in vitro», in provetta, un bambino.

C'è la «inseminazione artificiale», che si divide a sua volta in «omologa» ed «eterologa». Omologa: quando la donna viene fecondata dal seme del marito. Eterologa: quando si tratta del seme di un altro (ed anonimo) «donatore».

Per quel che è dato sapere e capire, la Chiesa ammette solo la fecondazione artificiale «omologa» (fra moglie e marito). Ha forti dubbi — che sono stati espressi mercoledì sera dal teologo Gino Concetti — sugli altri metodi.

Non credo che un laico possa o debba irridere a queste preoccupazioni, a queste distinzioni teologiche. Fare un figlio in provetta non è la stessa cosa che farsi una nuova protesi dentaria o la plastica al naso: evidentemente.

Perciò è sembrato particolarmente equilibrato l'atteggiamento di Rossana Rossanda che ha detto: cosa volete che vi dica? cosa volete che me ne sembri? Mi sembra che stiamo di fronte ad un mutamento «epocale», che stravolgerà il concetto stesso di maternità e di paternità.

Ogni cautela, ogni dubbio è lecito. Ed a queste cautele, a questi dubbi la trasmissione di mercoledì sera ha dato il dovuto spazio. Però, consentite: quando si vede e si sente parlare lo psicologo cattolico Leonardo Ancona — ripreso nel cortile della Università Cattolica di Milano, e gli si sente dire minaccioso: «come un tempo c'erano i figli della colpa, così ci saranno i figli della provetta» — allora viene fatto di pensare che certe volte a motivare le resistenze e i dubbi non è la religione, ma l'ossessione (sessuale, naturalmente).

2) SE SI DEBBA PAGARE IL CANONE TELEVISIVO. Il problema è stato riproposto di recente, come abbiamo appreso dai giornali, nel corso della «controversia Carniti». Dobbiamo pagare il canone per una televisione che non ci piace. «Se» non ci piace? «Quando» non ci piace?

☐ la Repubblica

sabato 15 febbraio 1986

Segnali di fumo

Ecco le cifre chiare per capire l'emergenza-fumo e la battaglia sul disegno di legge Degan.

Fumatori: 16 milioni.

Sigarette fumate: 103 miliardi.

Spesa: 9 mila miliardi di lire (6 mila miliardi sono stati incamerati dallo Stato).

Decessi: 80 mila l'anno (25 mila per tumore al polmone).

Le norme restrittive del disegno di legge prevedono:

■ divieto di fumare negli ospedali, scuole, uffici pubblici e privati;

■ divieto totale di fare pubblicità;

■ divieto di vendere sigarette ai minori di 16 anni;

■ obbligo di stampare su ogni pacchetto, oltre al contenuto in catrame e nicotina, la dicitura «Il ministero della Sanità informa che il fumo è nocivo».

Vi farò dimenticare Bogart

colloquio con Costante Degan

È stata definita una legge draconiana ma inutile. Ha scatenato polemiche feroci e si è attirata critiche a non finire. Riuscirà il disegno di legge contro il fumo a raggiungere gli obiettivi che si prefigge?

Il ministro della Sanità, Costante Degan, intervistato dall'*Europeo*, è ottimista. «Non mi aspettavo una reazione così violenta da parte del partito dei fumatori. Soprattutto attacchi così raffinati ma privi di argomenti. Hanno provato a usare anche Humphrey Bogart dicendo che nemmeno lui ormai sarà più un eroe. Ma che cosa significa? Soltanto perché lui era un accanito fumatore dobbiamo intossicarci anche noi? Bogart resta un eroe dei tempi in cui non si sapeva nemmeno che la sigaretta fa male».

Qualcuno dice però che alcune misure non servono a niente. Per esempio, è davvero utile proibire la pubblicità dei prodotti, come per esempio le automobili Mercedes, che portano nomi di sigarette?

«Per me serve, eccome. So che questa norma può creare qualche problema, ma siccome la legge non entrerà in vigore, immediatamente le industrie avranno tutto il tempo di adeguarsi. Quanto alla Mercedes vuol dire che farà pubblicità solo con il suo nome intero: Mercedes Benz».

Si dice anche che il divieto di vendere le sigarette ai minori di 16 anni non farà altro che invogliare i giovani a infrangere un tabù e quindi a fumare ancora di più.

«Non capisco perché. Per anni non c'è stato divieto e il risultato è che, pur diminuendo leggermente il numero dei giovani fumatori, è cresciuto moltissimo il consumo soprattutto tra le ragazze. E allora è logico che ci voglia una misura restrittiva».

La legge però non indica chiaramente chi dovrà vigilare sull'applicazione delle norme.

«Saranno i cittadini stessi a farlo. L'opinione pubblica è forte, convinta di questa battaglia. È in atto un grosso cambiamento culturale. Al congresso democristiano quest'anno non si è fumato in sala: è bastato togliere i portacenere dai tavoli e così la gente è andata fuori a fumare».

Un'altra critica: diversamente da alcune legislazioni straniere il suo progetto non prevede campagne informative per il pubblico.

«Verranno fatte. Saranno gli assessori regionali a organizzarle con i soldi del fondo sanitario nazionale. Speriamo di poterci avvalere della collaborazione di qualche grande agenzia pubblicitaria. Se non verranno comprate tutte dall'industria, s'intende».

Europeo - 5 luglio 1986

Viaggiano da millenni monumenti e palazzi

*Senso del bello e spirito di rapina
hanno fatto spostare nel tempo moltissime opere d'arte
La Repubblica di Venezia si accaparrò
i famosi cavalli a seguito della conquista di Costantinopoli
Le razzie di Napoleone sono famosissime
In tempi recenti al saccheggio è subentrato l'acquisto:
gli americani, è noto, hanno comprato, smontato
e ricostruito a casa propria interi castelli scozzesi*

Le opere d'arte di ogni tempo viaggiano da sempre: sin dal tempo in cui sono state riconosciute tali dalla civiltà o dagli uomini che ne sapevano godere. Le opere disperse, mutilate o malamente sopravvissute a quest'emigrazioni si contano a migliaia: in ogni tempo e in ogni luogo.

L'attitudine prevalente delle grandi potenze è stata quella del saccheggio: la politica dell'antica Roma non fu dissimile da quella della Repubblica di Venezia in età medioevale, delle grandi dell'*ancien régime* in età moderna: fino alle razzie napoleoniche o a quelle altrettanto rilevanti patrocinate dall'Impero britannico o dalla «grande Germania».

La linea di demarcazione tra il bottino di guerra in senso proprio e l'acquisto fraudolento è talvolta molto labile. Certamente almeno sino alle soglie dell'Ottocento le opere d'arte sono considerate bottino di guerra. Quando i romani estesero il loro dominio sull'Egitto, giunsero a Roma non pochi oggetti anche di colossali proporzioni come gli obelischi. I romani avevano già rivolto le loro attenzioni alla civiltà greca, pungolati da un non sopito complesso di inferiorità verso quella civiltà ormai ridotta a marginale periferia dell'impero.

Roma, però, rivolse le sue attenzioni predatrici ovunque giungessero le sue legioni. Un caso tra i più clamorosi è senza alcun dubbio la conquista di Gerusalemme nel 70 d.C.: l'esercito di Tito rientrò trionfalmente a Roma con i più preziosi oggetti sottratti al diruto tempio di Salomone. Alcuni di questi reperti, condotti a spalle dai legionari, sono rappresentati nello splendido bassorilievo all'interno dell'Arco di Tito.

Scompariva così il più antico santuario del mondo ebraico che era praticamente stato raso al suolo se si escludono le fondazioni (che sono riconoscibili in quel muro che vien oggi detto del pianto).

Certamente l'impresa fu assai più difficile quando nel 357 Costanzo, figlio di Costantino, decise di trasportare a Roma l'obelisco eretto davanti al tempio di Ammone a Tebe d'Egitto, dai faraoni Tutmes III e Tutmes IV, nel secolo XV a.C. L'obelisco di granito rosso è alto 31 metri: oggi è nella piazza San Giovanni in Laterano dove fu eretto da Sisto V nel 1587. Infatti s'era frantumato in tre pezzi e giaceva nel Circo Massimo, ove l'aveva collocato l'imperatore.

I termini tecnici dell'impresa sono assolutamente straordinari: mai era stata varata una nave di tale gran-

Sopra e sotto a sinistra: due fasi della spedizione della Pietà di Michelangelo nel 1964

A destra: la Venere di Milo lascia il Louvre per Tokio (1964)

dezza capace di sopportare un tale carico. Essa era condotta da ben 300 rematori: sbarcato il prezioso carico ad Ostia esso fu trasportato lungo il Tevere con una zattera fino ad un approdo sulla via Ostiense. Già Plinio aveva narrato nella «Storia naturale» del trasporto di altri celebri obelischi di dimensioni più modeste con una imbarcazione che fu messa in esposizione: «Un albero di eccezionale grandezza fu visto sulla nave che dall'Egitto per ordine dell'imperatore Caio Caligola trasportò l'obelisco... E' certo che mai nulla fu visto sui mari più grandioso di questa nave, per la quale furono necessari

120 moggi di lenticchie per favozza, e la cui lunghezza occupò quasi tutto lo spazio di sinistra del porto di Ostia... Ci volevano quattro uomini per abbracciare la circonferenza dell'albero».

A Roma fu Domenico Fontana nella seconda metà del Cinquecento a sollevare e risistemare questi enormi monumenti: l'impresa fu di tanto rilievo che l'architetto vi dedicò un volume, «Della trasportazione dell'obelisco Vaticano», 1590 (da qualche anno edito dal Polifilo in uno splendido reprint) ci dice tutto sulle difficoltà di tali imprese una volta che le opere erano giunte a destinazione.

Né facile fu l'impresa di Giovanni Belzoni che nel 1819 trasportò nel castello di Kingston Lacy in Inghilterra l'obelisco di File. Erano avventure rischiosissime ancora tra Sette e Ottocento. Basti pensare all'avventuroso viaggio della collezione di vasi greci che nel 1790 sir William Hamilton spedì da Napoli alla volta del British Museum che l'aveva acquistata per l'ingente somma di 8400 sterline.

Gli ardimentosi viaggi di colossali opere d'arte furono certamente una prerogativa della Serenissima durante il Medioevo: in seguito alla conquista crociata del 1204 di Costantinopoli giunsero a Venezia i cavalli di bronzo: fattura tardo-imperiale, da allora posti ad ornamento del tempio maggiore della città lagunare. Essi sono divenuti il simbolo stesso della potenza della Repubblica.

Venezia condusse una politica di «sensibile» saccheggio — se è possibile coniugare assieme questi due termini — e San Marco stesso è un bell'esempio per darsi conto di questa politica. I Tetrarchi inseriti nello spigolo della Basilica ed i prospicienti Pilastri di San Giovanni d'Acri sono senza dubbio oggetti provenienti d'oltre mare. I Tetrarchi sono di provenienza costantinopolitana, i Pilastri invece, sottratti nel 1256, sono reperti siriaci ed entrambi fanno bella mostra nella più sontuosa piazza della Serenissima. Ma l'elenco delle opere andate disperse o distrutte in questi trasferimenti fa parte di quella lunga lista di *mirabilia* a cui di recente ha dedicato perspicaci attenzioni Robert Adams («Il museo perduto», Edizioni di Comunità, 1983).

Scrivendo di trasferimenti non si può prescindere da quelle opere commissionate all'artista e destinate ad un mecenate lontano migliaia di chilometri. I casi sono

Una foto del 1915 che illustra il trasporto di uno dei cavalli di San Marco per la mostra «Venezia in grigio-verde»

tanti, ma ne segnaleremo solo alcuni particolarmente clamorosi. Il Trittico Portinari, ora agli Uffizi, fu acquistato nel 1475 da Tommaso Portinari, agente dei Medici a Bruges, per l'altare maggiore di una chiesa di Firenze. Viceversa nei primi del Cinquecento un commerciante di Bruges, Mouscron, acquista per cento ducati la statua della Madonna col Bambino del giovane Michelangelo posta su un altare di Notre-Dame a Bruges, dove Dürer già l'ammira nel 1521.

Anche il Seicento ha i suoi grandi capolavori in giro per l'Europa: la «Morte della Vergine» di Caravaggio, una tela alta quattro metri, viene acquistata da un eccezionale mercante, Rubens, a Roma per il duca di Mantova. La «Madonna del Rosario», ora a Vienna, opera anch'essa del Merisi, ha una vicenda ancora più complessa: nonostante le dimensioni altrettanto grandi, acquistata a Napoli dal pittore Finson, viene trasferita nella sua casa di Anversa: alla sua morte l'opera verrà collocata nella Chiesa di San Paolo della medesima città fiamminga, dove resterà fino al 1786 per poi andare a Vienna. Il che non giustifica che tele di analoghe dimensioni e valore ai nostri giorni continuino a vagare per il mondo.

Gli episodi più clamorosi di trasferimento in massa di opere d'arte dai più diversi Paesi sono certamente ottocenteschi: Napoleone esercitò la sua politica di «grandeur» in Egitto prima, in Italia poi: ma non ci fu capitale occupata dal suo esercito che non patì il morso delle sue attenzioni predatrici.

Più felpata ed ipocrita la politica del governo britannico. Preferì, quando potè, ricorrere a compravendite-farsa, come il celeberrimo «acquisto» da parte di Lord Elgin dei marmi del Partenone. A questo punto va detto che malgrado sia lo spirito del colonialismo ad animare queste imprese, sarebbe ben strano non riconoscere che questi «predoni» hanno salvato — assai spesso — dalla sicura distruzione documenti preziosi della civiltà umana. Che la contesa fosse anche di prestigio, oltre che di vera passione antiquariale, lo mostra il fatto che, come Londra si assicurò le metope di Fidia (1799-1803), vent'anni dopo fu Parigi a buttarsi nella mischia per assicurarsi un'opera che fosse di pari valore. L'occasione fu ancora l'insensibilità (che non vuol dire volontà di distruzione, come pure in tanti altri casi è avvenuto) dei Turchi per le cose antiquarie.

Da Melos i francesi sottrassero la Venere di Milo, subito attribuita a Prassitele ma, come attestava una inequivocabile iscrizione artatamente fatta scomparire essa era opera di artista più tardo di mezzo millennio.

Quando entrarono in scena i tedeschi non furono da meno, anzi: il Pergamon Museum di Berlino è caso esemplare di questi trasferimenti di opere di enormi dimensioni. Il museo sorto agli inizi del Novecento fu costruito praticamente attorno al ca-

polavoro dell'arte ellenistica con l'eccezionale originale del fregio della Gigantomachia.

Sempre a Berlino il Museo Islamico possiede, ricomposta, la facciata meridionale del Palazzo di Msatta situato a circa venti miglia da Amman scoperto agli inizi dell'Ottocento. A queste attenzioni non si sottrasse neppure la civiltà mesopotamica; sempre a Berlino si può ammirare la splendida porta di Istar che era uno degli accessi alla favolosa Babilonia di cui già Erodoto scriveva con stupita ammirazione.

Questa storia giunge fino ai nostri giorni quando gli americani hanno ricostruito sulla West coast i chiostri moreschi ed i castelli scozzesi per non sentirsi troppo lontani dal vecchio continente. Questo genere d'imprese sono certamente le più forsennate per gli sforzi d'arte in senso stretto (utensili e mobili preziosi, pitture, codici miniati, ecc.) sono giochi da bambini.

Sono mille le ragioni per cui i collezionisti inglesi si sono mossi sulla rotta dell'Italia: questa loro passione (come in pagine esemplari ci ha insegnato Francis Haskell) ha contribuito alla trasformazione del gusto e ha segnato la civiltà del loro tempo. Dal conte di Arunden al duca di Beckford certamente un capitolo in questa storia, per molti versi ancora da scrivere, spetta ai grandi trasferimenti per matrimoni dinastici: quel vero scrigno di tesori che era il Palazzo di Urbino fu svuotato quando l'ultima erede andò sposa a Firenze. Così come quando Carlo di Borbone ereditò la collezione di sua madre, Elisabetta Farnese: questo incredibile tesoro d'arte fu trasferito nel giro di qualche decennio da Roma a Parma poi definitivamente a Napoli. Tra gli oggetti c'era il Toro Farnese, una montagna di marmo che ha retto a questi viaggi con assoluta sicurezza. Ma la collezione Farnese era tanto ricca da essere il nucleo essenziale di due dei più splendidi musei del mondo: il Museo archeologico di Napoli e quello di Capodimonte.

C'è poi il mercato che ha sempre fatto viaggiare le opere d'arte ma questo è tutt'altro discorso che non è possibile neppure sfiorare.

Cesare De Seta

GLI ITINERARI DELL'ARTE ITALIANA

MATERIALI	ANNO	LUOGO DI PARTENZA	LUOGO DI ARRIVO	MEZZO DI TRASPORTO	CARATTERISTICHE
Quadri della mostra «Dal Caravaggio al Tiepolo»	1954	Roma	San Paolo del Brasile	Nave	Oltre 100 pezzi
Materiali etruschi	1956	Italia	Diverse città italiane ed europee	Treno	Alcune migliaia di opere, pezzi in terracotta, pietra, bronzo ecc.
Dipinti del Beato Angelico	1956	Firenze	Stati Uniti	Aereo	
Pietà di Michelangelo	1964	Roma	Stati Uniti	Nave	Viaggiò in un container inaffondabile. L'opera era assicurata per 3 miliardi e 700 milioni
Affreschi fiorentini (Giotto, Andrea del Sarto, ecc.)	1968	Firenze	Stati Uniti e diversi altri Paesi	Nave Camion	Erano racchiusi in 59 casse di grandi dimensioni
Materiali per la mostra Ultimi Medici	1974	Firenze	Stati Uniti	Aereo	Un migliaio di pezzi di varia natura per un peso totale lordo di 14 tonn.
Bruto di Michelangelo Busto in marmo	1975	Firenze	Unione Sovietica	Camion Aereo	
Dipinti Macchiaioli	1975 e success.	Italia	Germania, Francia, Svizzera, Giappone	Camion Aereo	
Statua di Venere detta dei Medici	1976	Firenze	Stati Uniti	Nave	Venne spedita in una cassa galleggiante provvista di un dispositivo radio che ne segnalava costantemente la posizione
Opere del Giambologna (e contemporanei)	1978	Firenze	Inghilterra	Aereo	
Materiale per la Mostra pompeiana	1978	Napoli	Parigi, Essen, Zurigo, Copenaghen, Chicago, Dallas, Città di Messico e Nuova York	Camion Aereo	Circa 1000 pezzi fra cui affreschi e mosaici molto delicati
Materiali per la mostra I Medici in Europa	1979-80	Da vari Paesi europei e dall'Italia	Firenze	Aereo Camion	Circa 2000 pezzi
Cristo di Cimabue	1982	Firenze	Stati Uniti, Inghilterra, Francia, Spagna, Germania	Nave Camion	Le eccezionali misure della cassa crearono seri problemi. In alcune zone dovette essere tolta la corrente elettrica per farla passare sotto i fili dell'alta tensione
Cavalli di San Marco	1982	Venezia	Parigi, Nuòva York, Città di Messico, Milano, Berlino	Camion Aereo	
Materiali per la mostra I tesori del Vaticano	1983-84	Roma	Stati Uniti	Aereo	238 opere
Materiale per la mostra «Sicilia greca»	1984	Sicilia	Giappone	Aereo	Circa 700 pezzi

La tabella che qui sopra abbiamo ricostruito offre una idea, senza alcuna pretesa di completezza, dell'intenso peregrinare del nostro patrimonio artistico negli anni più recenti. Si tratta soltanto di alcuni esempi, dei casi più noti, cui fa riscontro un numero assai più elevato di spedizioni sfuggite all'attenzione della cronaca

Corriere della Sera - 22 gennaio 1984

SÌ AI VIAGGI, PERÒ...

A Maurizio Calvesi, nella sua qualità di vicepresidente del comitato di settore per i Beni artistici e storici, abbiamo chiesto un parere sull'iniziativa vaticana di cui ci occupiamo in queste pagine.

Roma. Premesso che ogni viaggio, per quante cautele si prendano, comporta un margine minimo di rischio, e che perciò occorre valutare con prudenza caso per caso, personalmente non sono contrario in linea di principio al prestito delle opere italiane, anche se importanti, a mostre curate nel nostro stesso paese o all'estero. Debbono tuttavia realizzarsi quattro condizioni: 1) che la Soprintendenza competente esprima un parere favorevole, valutando i dati tecnico-conservativi, e segua tutte le operazioni di trasporto, installazione ecc.; 2) che siano comunque escluse tutte le opere particolarmente delicate, ad esempio i dipinti su tavola, giacché il legno, com'è noto, si muove a seguito di mutazioni d'umidità e di temperatura e il colore, di conseguenza, tende a staccarsi. (Non si può quindi condividere l'invio di opere come il "San Girolamo" di Leonardo. Le tavole possono viaggiare, eccezionalmente, solo nell'ambito di condizioni climatiche strettamente affini, lungo brevi distanze); 3) che le mostre cui i prestiti afferiscono siano di particolare rilievo e rigore scientifico, abbiano cioè anche una finalità di studio, ad evitare fiere di "capolavori" a scopo puramente esibitivo e di rappresentanza, con conseguente degrado della loro stessa dignità culturale a feticcio, e della politica dei prestiti (che comunque dev'essere parsimoniosa) a "facile costume"; 4) che sussistano condizioni di reciprocità, vale a dire che ad ogni prestito concesso dall'Italia corrisponda, sia pure non meccanicamente, un impegno di pari importanza da parte del paese ricevente. E' questo l'unico modo per reinserire l'Italia in quel circuito di mostre internazionali da cui è stata, fin qui, inammissibilmente esclusa, a causa, anche, di una mancata programmazione (che è l'eterno difetto italiano, dalla Biennale di Venezia agli assessorati, alle pur meritorie soprintendenze): mostre non solo d'arte italiana.

Questo è, ripeto, il mio personale parere, ma credo di poter dire che in linea di massima esso è condiviso dalla maggioranza degli otto membri del Comitato di settore per i beni artistici e storici (presieduto dal prof. Decio Gioseffi); comitato che, nell'ambito del Consiglio nazionale per i beni culturali, ha il compito di esprimere sui singoli prestiti il parere in base al quale il ministro prende le sue decisioni. Va dato atto al ministero per i Beni Culturali di essere sempre stato abbastanza rispettoso di questo parere, che va tuttavia seguito in ogni sua indicazione, e, all'attuale ministro, di essersi adoperato per lo sblocco di quell'isolamento italiano cui sopra accennavo.

All'estero comunque sono meno rigorosi di noi: i direttori dei musei decidono secondo il loro parere e quindi le opere d'arte viaggiano con maggiore facilità. D'altra parte noi dobbiamo proteggere un patrimonio artistico di valore incalcolabile che non ha eguali nel mondo intero. Abbiamo il dovere di essere severi nello spirito di una tradizione amministrativa e conservativa che risale a Sisto IV.

MAURIZIO CALVESI

L'Espresso - 5 dicembre 1982

ALLEGATI

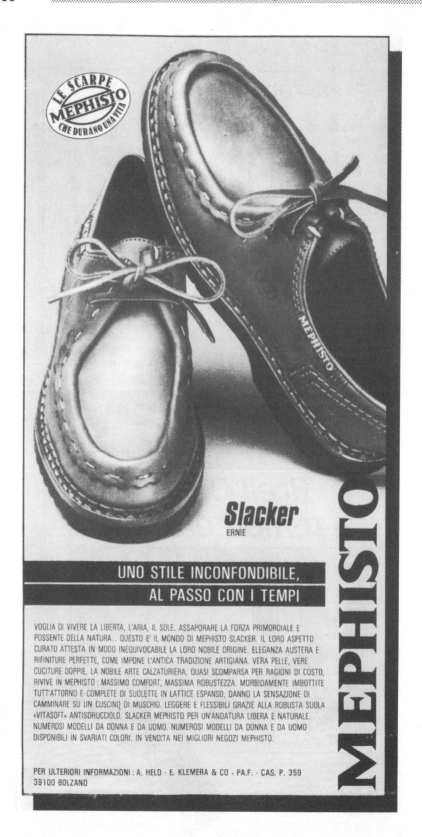

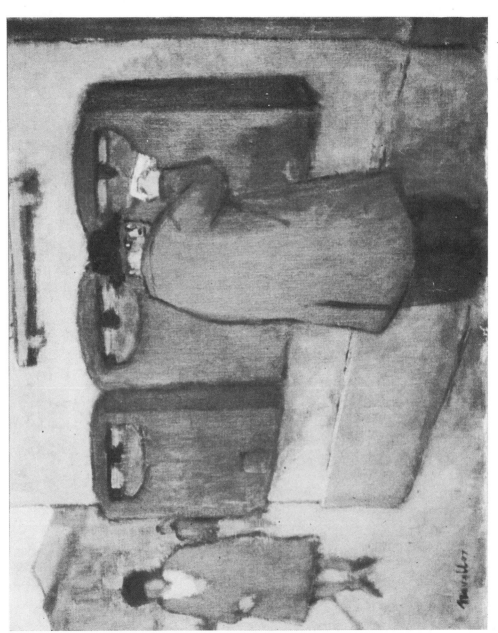

Giuseppe Novello. *Lettera anonima.*

7. ALLEGATI

ITALIA IN CIFRE

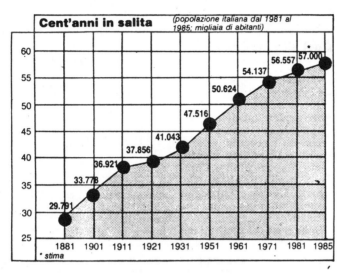

Cent'anni in salita *(popolazione italiana dal 1981 al 1985; migliaia di abitanti)*

29.791 · 33.778 · 36.921 · 37.856 · 41.043 · 47.516 · 50.624 · 54.137 · 56.557 · 57.000*

1881 1901 1911 1921 1931 1951 1961 1971 1981 1985
* stima

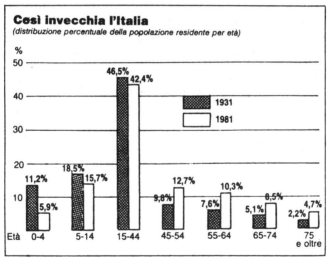

Così invecchia l'Italia
(distribuzione percentuale della popolazione residente per età)

1931 / 1981

Età	1931	1981
0-4	11,2%	5,9%
5-14	18,5%	15,7%
15-44	46,5%	42,4%
45-54	9,8%	12,7%
55-64	7,6%	10,3%
65-74	5,1%	8,5%
75 e oltre	2,2%	4,7%

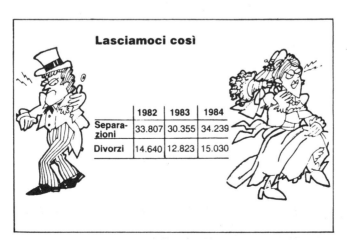

Lasciamoci così

	1982	1983	1984
Separazioni	33.807	30.355	34.239
Divorzi	14.640	12.823	15.030

147

SUI BANCHI DI SCUOLA

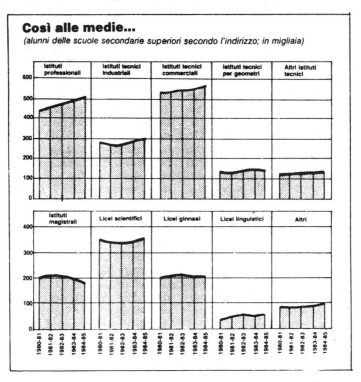

Così alle medie...
(alunni delle scuole secondarie superiori secondo l'indirizzo; in migliaia)

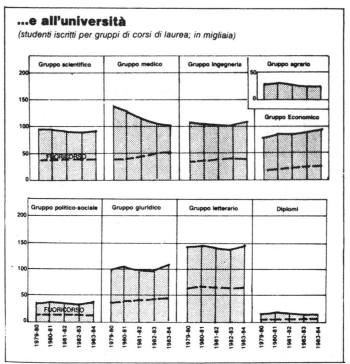

...e all'università
(studenti iscritti per gruppi di corsi di laurea; in migliaia)

CARICAMENTO CARTA

Selezionare la cassetta superiore o quella inferiore, in funzione del formato carta da usare.

Superiore: A3 - A4R
Inferiore : A4R (capacità 500 fogli)

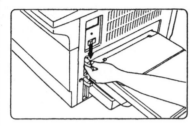

1. Abbassare la leva libera cassetta e togliere dolcemente la cassetta dal copistore.

2. Scegliere la cassetta in funzione del formato carta da usare.

3. Mettere i fogli di carta (devono corrispondere al formato della cassetta) nella cassetta, in modo che i bordi della carta siano sotto i separatori angolari ed il lato da copiare rivolto verso l'alto.

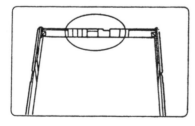

Non aggiungere carta prima che la cassetta sia completamente vuota, onde evitare inceppamenti.

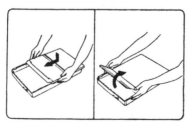

4. Aprire il coperchio anteriore della cassetta.

IL SOLITARIO
di Enrico Rossetti

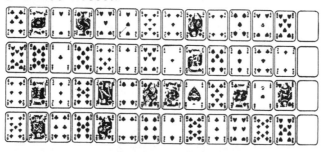

V iene chiamato "le Buche" o "le Lacune": chi me lo ha insegnato gli dava il nome di "la Grande Arpa". Per le persone a cui piace dedicare ad un solitario tempo (a portarlo a compimento occorre in media più di un quarto d'ora), studio di una tattica e concentrazione, questo é uno dei più belli.

E per condurlo, è gradevole anche valersi della collaborazione e dei consigli di un compagno.

Le regole sono semplici. Si dispongono le 52 carte di un mazzo su quattro file di tredici carte ciascuna, come mostra l'illustrazione; nei quattro spazi della quattordicesima colonna si porta la carta di valore immediatamente superiore e dello stesso seme di quella che si trovava in fondo alla fila, e poi con lo stesso criterio si riempiono gli spazi che via via si aprono. (Nell'illustrazione, ad esempio, il K di cuori sulla Q di cuori, e poi il 2 di quadri sull'A, il 6 di fiori sul 5...).

Quando si apre uno spazio nelle prima colonna (per esempio, se si porta il 10 di cuori sul 9), in quello spazio si colloca un A, a propria scelta. Scopo del gioco è di costruire e completare nelle quattro file quattro sequenze ascendenti per seme dall'A al K. Gli spazi alla destra di un K non possono essere colmati (è perciò improduttivo, nell'esempio, collocare il 3 di quadri sul 2) e quando tutti e quattro gli spazi sono così il gioco è bloccato.

A questo punto si lasciano sul tavolo le carte delle sequenze costruite sugli A sistemati nella prima colonna, e si raccolgono, si mescolano e si dispongono le altre come nella prima esposizione. Questa ridistribuzione si può fare due volte.

L'ESPRESSO - 3 NOVEMBRE 1985

bomba
di carta

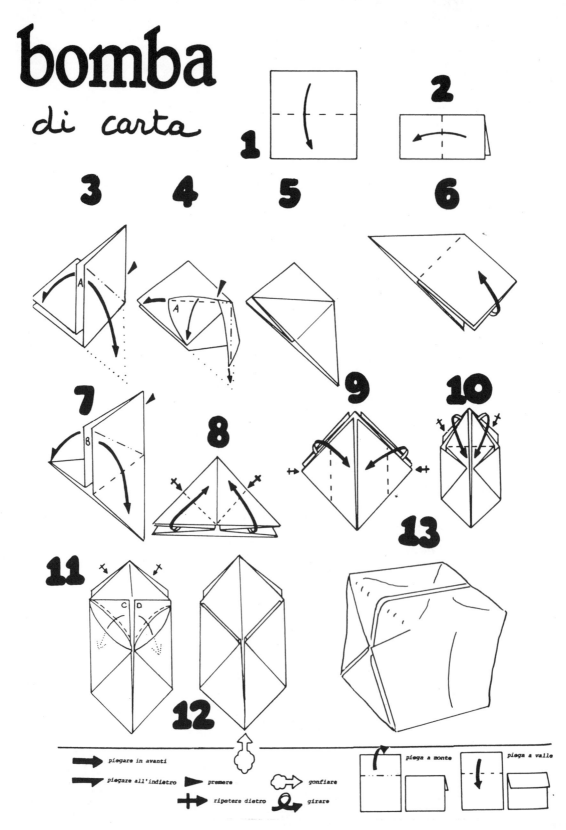

piegare in avanti		
piegare all'indietro	premere	gonfiare
ripetere dietro	girare	

piega a monte

piega a valle

Finito di stampare
nella Tipo-lito SAGRAF - Napoli
nel mese di aprile 1992

L'italiano per stranieri

Amato • **Mondo italiano**
testi autentici sulla realtà sociale e culturale italiana

Avitabile • **Italian for the English-speaking**

Battaglia • **Grammatica italiana per stranieri**

Battaglia • **Gramática italiana para estudiantes de habla española**

Battaglia • **Leggiamo e conversiamo**
letture italiane con esercizi per la conversazione

Battaglia e Varsi • **Parole e immagini**
corso elementare di lingua italiana per principianti

Bettoni e Vicentini • **Imparare dal vivo ***
lezioni di italiano - livello avanzato
manuale per l'allievo
chiavi per gli esercizi

Buttaroni • **Letteratura al naturale**
autori italiani contemporanei
con attività di analisi linguistica

Cherubini • **L'italiano per gli affari**

Diadori • **Senza parole**
100 gesti degli italiani

Gruppo META • **Uno**
corso comunicativo di italiano per stranieri - primo livello
libro dello studente
libro degli esercizi e sintesi di grammatica
guida per l'insegnante
3 audiocassette

Humphris, Luzi Catizone, Urbani • **Comunicare meglio**
corso di italiano - livello intermedio
manuale per l'allievo
manuale per l'insegnante
4 audiocassette

Marmini e Vicentini • *Imparare dal vivo**
lezioni di italiano - livello intermedio
manuale per l'allievo
chiavi per gli esercizi

Marmini e Vicentini • *Ascoltare dal vivo*
manuale di ascolto - livello intermedio
quaderno dello studente
libro dell'insegnante
3 audiocassette

Radicchi e Mezzedimi • *Corso di lingua italiana*
livello elementare
manuale per l'allievo
1 audiocassetta

Radicchi • *Corso di lingua italiana*
livello intermedio

Radicchi • *In Italia*
modi di dire ed espressioni idiomatiche

Totaro e Zanardi • *Quintetto italiano*
approccio tematico multimediale - livello avanzato
libro dello studente
quaderno degli esercizi
2 audiocassette
1 videocassetta

Urbani • *Senta, scusi...*
programma di comprensione auditiva con spunti di produzione libera orale
manuale di lavoro
1 audiocassetta

Urbani • *Le forme del verbo italiano*

Verri Menzel • *La bottega dell'italiano*
antologia di scrittori italiani del Novecento

Vicentini e Zanardi • *Tanto per parlare*
materiale per la conversazione - livello medio avanzato
libro dello studente
libro dell'insegnante

Bonacci editore